D0708628

Simon-les-nuages

Roger Cantin

Simon-les-nuages

roman

D'après le film écrit et réalisé par l'auteur,
produit par les Films Vision4

Boréal

Maquette de la couverture: Rémy Simard
Illustration de la couverture: Christian Bénard

Dépôt légal: 1er trimestre 1990
Bibliothèque nationale du Québec

Diffusion au Canada: Dimedia
Données de catalogage avant publication (Canada)

Cantin, Roger
Simon-les-nuages
(Boréal Junior).
Pour les jeunes de 10 à 14 ans.

ISBN 2-89052-326-8

I. Titre II. Collection.
PS8555.A57S55 1990 jC843'.54 C90-096149-X
PS9555.A57S55 1990 PZ23.P36Si 1990

Le 15 septembre 1989

Je suis Pierre-Alexandre Cadotte, de Sainte-Lucie-de-Bagot. L'été dernier, il m'est arrivé une aventure tout à fait extraordinaire. Il faut absolument que je vous la raconte.

Mais à une condition, vous devez promettre de ne pas répéter ce que je vais vous raconter. Surtout pas à un adulte. C'est parce que Simon nous a fait jurer de garder le secret pour toute la vie.

Bien, c'est franchement trop long ça, «toute la vie»! En plus, quand il nous arrive quelque chose d'incroyable, pourquoi on ne pourrait pas le dire, hein? De toute manière, si personne ne le répète à personne, ça va rester un secret. C'est d'accord? Bon... Si c'est promis, je peux commencer.

Imaginez, très loin d'ici, un étrange pays...

1

L'étrange pays

Là-bas, il y a toujours des nuages blancs dans un ciel éblouissant. C'est tout juste s'ils se déplacent, ces nuages, et ils ont des formes surprenantes: on dirait des animaux fantastiques, des poissons incroyables ou même des oiseaux gigantesques.

En comparaison, le paysage sous les nuages paraît sans intérêt. C'est une impression trompeuse qui ne dure pas.

Bientôt, les couleurs marquées, surtout les verts radieux, attirent notre regard et font découvrir un paysage tropical baigné de soleil.

Il y a des montagnes pointues qui font la chaîne autour de l'horizon. Une forêt luxuriante s'étend des montagnes jusqu'à un océan immense et pur. Là, des vagues se gonflent sans se presser, puis se brisent sur des rochers tout noirs, faisant des remous tantôt turquoise, ou verts émeraude, ou simplement d'un bleu intense avec des reflets de cristal.

Entre la mer et la forêt, il y a partout des animaux sauvages. Ils se déplacent, paisibles, dans les sous-bois colorés de fruits inconnus et de fleurs étranges. Tout cela dégage une impression harmonieuse. C'est comme une odeur... de paradis.

Une longue file de gens sortent de la jungle maintenant. C'est une expédition qui vient explorer ce pays inconnu. Fait surprenant, cette colonne est formée uniquement par des enfants. Ils viennent de pays différents que nous reconnaissons aux vêtements qu'ils portent.

Le garçon qui marche en tête n'est pas le plus grand ni le plus costaud. Il y a de la douceur dans son regard et dans ses gestes, de la curiosité aussi. Mais surtout, avec sa mine d'entêté, on se dit tout de suite que ce doit être celui-là qui entraîne les autres dans cette aventure. Ce garçon se nomme Simon.

— Ouk'salek m'sié Simon... Tshishe Innu. Más magníficas, Simón, lui disent les porteurs, en montrant du doigt des animaux fabuleux.

Chacun parle une langue étrangère, mais cette cacophonie de tour de Babel n'empêche personne de s'enthousiasmer, ou de se comprendre.

Il n'y a ni crainte ni méfiance entre les enfants et les animaux. Pas un animal ne fuit à leur passage. Au sommet des arbres, des singes curieux s'approchent en sautant de branche en branche. Des oiseaux aux plumages superbes caquettent sur les branches les plus basses. Une biche s'approche de Simon et se laisse caresser.

Brusquement, la forêt frémit au son d'un grondement terrible. Les animaux dressent l'oreille. La peur envahit les enfants. Ce grondement est lointain et résonne longtemps. Tout de suite après, quelque chose commence à se déplacer très lourdement, sans se presser, faisant craquer les arbres sur son passage.

Les animaux s'enfuient tous en même temps. Les enfants paniquent, jettent leurs bagages et courent se cacher dans la forêt. Quelques-uns appellent Simon pour qu'il se sauve lui aussi dans la forêt.

Simon reste là. Il s'accroupit derrière un arbre... Il a peur c'est certain, mais il veut absolument voir quelle sorte d'animal peut causer une si grande panique. Le sol continue de trembler par coups réguliers, toujours plus forts. Une secousse plus puissante fait trembler le sol et ébranle l'arbre. Simon sent une présence derrière lui. Un frisson de panique le gagne, il se retourne vivement... Je ne sais pas ce qu'il a vu, mais c'était sûrement terrifiant...

...parce que Simon pousse un grand cri et se réveille en sursaut. C'est son cri qui m'a réveillé, moi, au beau milieu de la nuit. J'ai vu Simon tout entortillé dans le drap, tant il avait bougé dans son sommeil. Naturellement, je lui demande:

— Simon?... Qu'est-ce que tu as, Simon?

Il n'a pas l'air de m'entendre. Il met beaucoup de temps à se retrouver.

— Où je suis là?... Puis, t'es qui toi? me dit Simon, parlant comme s'il avait la bouche pleine.

— Voyons Simon! Je suis ton cousin. Pierre-Alexandre Cadotte! Tu es venu passer deux semaines en vacances chez moi, tu te souviens pas?!

C'est déjà désagréable de se faire éveiller au milieu de la nuit, si en plus il faut que ce soit par un amnésique! J'ai presque perdu mon calme...

Mais je me suis raisonné. Après tout, ce ne serait ni gentil ni poli de bousculer de la visite qui sort tout juste d'un mauvais rêve. Tout doucement, avec le ton que maman prend quand je suis malade, je dis:

— Je pense que tu as fait un bien gros cauchemar.

— Non, c'était un beau rêve!

Une chance! Si un beau rêve le fait réagir comme cela, je ne veux surtout pas qu'il fasse un cauchemar pendant qu'il dort dans ma chambre!

Pour s'expliquer, Simon me raconte son rêve. Il est vraiment très convaincant quand il raconte ses rêves, Simon. C'est vous dire, il avait collé au-dessus de son lit une affiche montrant une jungle. Eh bien, quand il se met à décrire la chaleur qu'il fait dans le pays de son rêve, puis le vent humide dans les arbres, je suis certain de voir bouger la jungle sur l'affiche et je sens un vent chaud sur mon visage. Je vois même un singe sauter de branche en branche.

— Qu'est-ce qu'y a? demande Simon, en s'apercevant que j'ai l'esprit ailleurs.

Tout de suite le vent chaud s'arrête, puis l'affiche redevient une affiche! Pour la première fois, je viens d'avoir une hallucination. Jamais je n'aurais cru que cela pouvait m'arriver. Je n'ai pas trouvé cela rassurant. En même temps, ce n'était pas vraiment désagréable.

Je ne dis rien à Simon à ce propos-là. En fait, vous êtes la première personne à qui j'en parle. (Puis, ça non plus, j'aimerais mieux que vous ne le répétiez pas, d'accord?) Bon... Où est-ce que j'en suis là? Ah oui! Je suis en pleine confusion!

— Euheu... Bien euh... C'est que... Euh... Rien! J't'écoute! Continue, Simon.

— Bon... dans la forêt, il y a toutes sortes d'animaux. Même ceux qui n'existent plus aujourd'hui! Parce que, dans ce pays-là, personne ne les tue!

Je crois que l'hallucination m'a mis de mauvaise humeur. En tout cas, elle m'a rendu sceptique.

— Ah? Ouais... mais, tu sais, Simon, les animaux, ça se mange entre eux!

— Non! Pas dans mon pays. Ils ne sont pas ennemis!

— Ça n'existe pas un endroit comme ça!

— Bien, pourquoi j'y rêverais dans ce cas-là? Hein? Pourquoi je verrais des animaux que je connais même pas?...

Simon se penche alors sous le lit. La tête en bas, il fouille, rejetant pêle-mêle autour de lui tous les livres qu'il a poussés là quand je lui ai demandé de ne pas laisser traîner ses affaires. Finalement, il met sur mes genoux un livre ouvert sur une double page illustrée.

— Regarde, avant même d'avoir ce livre-là, j'ai vu des poissons exactement pareils.

— Où ça?

— Bien, dans mon rêve! Ils sont dans des étangs ronds avec des algues partout dans l'eau.... Je me suis réveillé, puis j'ai fait un dessin. Tu vois! C'est pareil.

Il y a bien une cinquantaine d'espèces différentes sur ces deux pages illustrées. Ce sont des sortes de poissons franchement pas beaux avec autant de dents qu'un crocodile.

— C'est lequel qui est pareil? demandé-je à Simon.

— Lui!

Le dessin est malhabile, mais il ressemble quand même beaucoup à l'illustration que Simon me montre du bout de son doigt. Je persiste à être sceptique.

— ...Tu sais, Simon, tu n'as jamais été bien bon en dessin...

— Ça lui ressemble, dit Simon, déçu que je ne le crois pas... Bien, ce n'est pas mon meilleur livre. Dans celui-ci, on voit mal...

Simon se recouche en boudant un peu. Je prends son livre pour lire le titre: *Les dinosaures: diversité et évolution*... Ce n'est pas joli tout de suite, ces bêtes-là! Il peut bien faire de drôles de rêves, mon cousin!

Au moment de me recoucher, l'idée me vient de demander à Simon comment finit son rêve. Il ne répond pas. Il dort déjà... ou fait semblant de dormir. Oui, quand j'y repense, c'est plutôt ça, il ne voulait pas me répondre.

Le lendemain matin, au petit déjeuner, Simon se fait encore remarquer. Mon cousin a vraiment de drôles de manières. En tout cas, il n'a pas toujours de bonnes manières.

Nous les Cadotte, on met toujours les couverts au complet même pour le petit déjeuner. On aligne à la bonne place, les verres à jus et les verres à lait, les plats creux pour les céréales et les autres pour les pamplemousses, puis les coquetiers, sans oublier les trois fourchettes, les trois cuillères et les deux couteaux appropriés à chaque opération du déjeuner. Une table aussi bien remplie fait vraiment très jolie. Moi cela m'ouvre l'appétit. Ce n'est pas le cas pour Simon. Tout ce qu'il trouve à dire, c'est:

— En mettiez-vous tant que ça des couteaux puis des fourchettes avant d'avoir un lave-vaisselle?

Maman et papa l'entendent. Ils ne répondent rien, mais ils n'ont pas l'air de goûter la remarque.

Je rappelle à Simon qu'il faut toujours commencer par se servir des ustensiles les plus éloignés de l'assiette, mais déjà il n'écoute plus. Il s'est remis à une autre de ses manies.

Je vous l'explique: jamais Simon ne boit son verre de lait avant d'avoir, tout doucement, déposé dessus une grosse cuillerée de *Quik*. Il faut absolument que le chocolat en poudre flotte au milieu du verre. Quand c'est fait, Simon se croise les bras sur la table, pose son menton sur ses mains et regarde couler le chocolat, en s'inventant je ne sais quelle histoire. C'est souvent très long. Et ce n'est pas très poli quand on est à table avec des adultes.

— As-tu pensé à ce que tu vas faire pendant tes vacances, Simon? lui demande maman, pour être gentille. Tu vas pouvoir te baigner.

— Pierre-Alexandre, n'oublie pas d'inscrire ton cousin au terrain de jeux, ajoute papa.

— Es-tu dans les scouts, Simon? Parce qu'ici c'est très bien orga... Euh...

Mes parents voient bien que Simon ne les écoute pas. Il contemple gravement l'îlot de *Quik* en train de sombrer et oublie tout le reste. Je suis gêné pour lui. Ce n'est pas possible d'être dans les nuages comme ça tout le temps!

— Simon? Mes parents te parlent.

— Je le sais.

— Bien! Réponds-leur!

Sortant à moitié de sa méditation, Simon fait ce que je lui demande, mais pas du tout comme je le veux.

— Est-ce qu'il y a déjà eu des dinosaures par ici?

Cette question surprend mes parents. Surtout mon père qui, ne sachant comment répondre, finit par dire qu'il n'en a jamais vu dans la région. Maman lui fait des gros yeux et papa grimace en s'apercevant qu'il vient de dire une bêtise.

L'horloge sonne huit heures et demie à ce moment précis. Papa se lève. Il ajuste sa montre qui n'est pas à la bonne heure et il part vers l'hôtel de ville où il travaille. Maman l'accompagne à la porte.

Tout à fait insouciant, Simon continue de regarder l'île de *Quik* dans son verre de lait. Je n'étais pas content. Il venait de me faire honte mon cousin; devant mes parents en plus.

Décidément, les deux semaines à venir s'annonçaient plutôt mal. Je comprends maintenant à quel point cette réflexion était modeste, en comparaison de l'incroyable aventure qui devait nous arriver dans les jours suivants.

Toujours est-il qu'un peu fâché je demande à mon cousin:

— Pourquoi tu attends toujours que ton chocolat coule? Ça irait plus vite avec une cuillère!

Avec cette même éloquence qu'il a pour raconter les rêves, Simon me répond:

— Cette petite île-là, je me dis que ça pourrait être une très grande île. Peut-être même un continent... l'Atlantide qui se défait en morceaux, puis coule au fond d'une mer de lait.

Je regarde le chocolat dans le verre. Le lait infiltre les pourtours de l'île de *Quik*. De petits morceaux se détachent, chavirent, puis coulent au fond du verre. Mais j'ai beau me concentrer, je ne vois rien d'autre que du chocolat en poudre lentement grugé par le lait. Comment Simon peut-il perdre son temps à imaginer de pareils enfantillages? Cela me dépasse!

— Ça irait quand même plus vite avec une cuillère, redis-je!

— Je suis pas pour couler l'Atlantide à coups de cuillère. Il y a des animaux, puis des gens dessus. Faut leur laisser le temps d'évacuer!

Inutile de lui répliquer. Il se serait fâché encore plus et moi aussi.

— Ici, c'est l'hôtel de ville de Sainte-Lucie-de-Bagot. C'est un très vieil édifice un peu historique. Mon père travaille là. Il est greffier en chef. Ce n'est pas rien, sans lui, le maire serait tout perdu...

Je fais visiter Sainte-Lucie à mon cousin. J'espère bien l'impressionner avec l'hôtel de ville qui a quatre grosses colonnes, puis une horloge ronde dans le pignon au-dessus des colonnes.

— Le temps avance pas vite par ici, fait remarquer Simon.

Il a le don celui-là de mettre le doigt sur la brindille qui bloque l'engrenage. Parce que justement, de mémoire d'homme, toutes les horloges font des caprices à Sainte-Lucie. Par exemple, l'horloge municipale est bloquée depuis au moins cent ans sur midi. Ou minuit, personne ne s'en souvient plus, cela fait trop longtemps.

— Ah oui, expliqué-je à Simon, les horloges donnent rarement la bonne heure chez nous. Mon père dit que c'est un des mystères de Sainte-Lucie-de-Bagot... En fait, c'est *le* mystère de Sainte-Lucie-de-Bagot. C'est à cause d'une montagne souterraine qui serait aimantée... magnétique, je veux dire... Mais euh... que nos montres fonctionnent mal, on ne le dit pas à n'importe qui. On passerait pour des arriérés!

C'est vrai qu'à Sainte-Lucie-de-Bagot on ne se vante jamais de cette curiosité de la nature, même si on s'est habitué et qu'ici les gens savent lire l'heure d'après la position du soleil ou les ombres sur le sol. Sainte-Lucie-de-Bagot est sûrement l'endroit au monde qui compte le plus grand nombre de cadrans solaires par habitant.

Pendant qu'on continue de visiter le village, tout à coup Simon se met à marcher à reculons. Les premières minutes qu'il fait ça, je continue de lui parler comme si de rien n'était. Mais cela devient vite agaçant. D'abord, il risque de se faire mal en trébuchant. Ensuite, c'est très désagréable de raconter des choses intéressantes à quelqu'un qui ne s'y intéresse pas du tout.

— M'écoutes-tu?... Simon?... Simon! Tu ne m'écoutes pas!... Pourquoi tu marches à reculons? Tu pourrais tomber et te faire mal là!

Simon va droit vers une signalisation placée devant un tas de terre. Je pouvais le prévenir. Mais tant pis, pensé-je, ça lui servira de leçon. Je ralentis un peu, pour bien voir. Je me retiens de rire à l'avance, mais je savoure déjà le moment où il va s'étaler sur le tas de terre...

À la toute dernière seconde, Simon évite la culbute en faisant un bond de côté, sans même s'arrêter de marcher à reculons. Ce qui est encore plus contrariant.

— Ça ne t'intéresse pas de visiter Sainte-Lucie-de-Bagot?

— Dans mon rêve, c'est comme un pays où le temps n'avancerait pas. Exactement comme tu disais pour l'horloge de l'hôtel de ville...

J'ai levé les yeux au ciel! Voilà que Simon recommence avec son histoire de rêve et de pays magique!

— Où on va là? On est revenu dans ta rue...

— Oui, je t'amène voir la bibliothèque municipale. C'est de ce côté-là.

Nous étions au coin de la haie de cèdre de monsieur Sirois. Au premier pas en direction de la bibliothèque, je me cogne sur Picard que je n'ai pas vu venir.

— Aie Cadotte! Regarde donc où tu marches là! Tu pourrais te faire mal!

Il peut bien parler Picard! Pour qui il se prend, lui, avec son «jean jacket» en morceaux attachés ensemble avec des macarons!?

Picard continue son chemin avec sa petite démarche de baveux. C'est aussi bien comme ça, j'aime mieux ne pas me chicaner avec lui, il est trop mal élevé.

— Qui c'est celui-là? me demande Simon.

Mais je vois bien que mon cousin se fiche pas mal de savoir qui est Picard. Il est plutôt curieux de savoir ce qui se passe à l'autre bout de la rue, précisément là où Picard se dirige.

On aperçoit de ce côté de grandes banderoles et des flèches découpées dans du carton. Je comprends tout de suite que c'est encore une invention de Michelle Bonin pour se faire de l'argent de poche.

Depuis qu'elle s'est acheté un ordinateur, Michelle doit rembourser à chaque mois l'argent emprunté à son père. Il est bien strict à ce sujet, monsieur Bonin. C'est normal: il est gérant de banque.

Il y a partout autour de l'entrée de cave des Bonin des cartons publicitaires «faits par ordinateur», puis colorés à la gouache. Cela dit:

«Venez visiter le zoo de *Carole Bonin*»;

«Voyez une couleuvre de 131 centimètres de long avaler un ouaouaron de 1 kilo»,

«Carole a elle-même capturé plus de bêtes et de bibittes *dangereuses* que vous en avez vu de toute votre vie».

Et bien d'autres choses, toutes plus exagérées les unes que les autres.

Parce qu'il faut dix cents pour garer sa bicyclette sur le terrain des Bonin, il y a une pile de bicyclettes sur le trottoir, juste en dehors de leur terrain. Pour voir le zoo, les petits doivent payer vingt-cinq cents, les grands cinquante cents, et les parents un dollar.

Alors qu'on se dirige chez les Bonin, j'essaie encore une fois de raisonner Simon au sujet de son rêve.

— Tu sais pour ton rêve, Simon, bien, les rêves, c'est seulement des rêves. Il faut pas penser que c'est vrai.

— Pourquoi ça se pourrait pas?

— Voyons, tu sais bien...

Rien à faire, Simon s'accroche à son idée. Une visite au zoo de Carole Bonin calmera peut-être son envie de voir des animaux rares?

Michelle Bonin attend derrière le vieux pupitre d'écolier qui lui sert de guichet. Picard est devant nous. Tout excité, il demande à Michelle:

— Il paraît que Carole a attrapé une barbotte géante?

— Une barbue de quinze kilos... dit Michelle avant d'enchaîner à notre intention... C'est cinquante cents chacun.

Au moment de prendre notre argent, elle se rappelle quelque chose d'important. Vivement, elle crie en direction de Picard qui est déjà sur les premières marches menant au sous-sol.

— Attention aux marches, Picard! Ça glisse.

L'air de ne pas s'en faire, Picard fait signe qu'il sait... puis, il rate la marche. Cela fait beaucoup de bruit pendant qu'il déboule jusqu'en bas.

— Bon bien, vous ferez attention aux marches vous deux, hein? nous a conseillé Michelle, un peu mal à l'aise.

2

La Chasseresse et le Bavard

Cela sent fort dans le sous-sol des Bonin. Ce n'est pas surprenant avec tous les animaux gardés là. À l'entrée, une horloge dessinée sur un carton annonce le prochain «spectacle» de la couleuvre rayée. En dessous de l'horloge, on a dessiné un serpent sur le point d'avaler une innocente grenouille.

Il y a aussi les canaris empruntés à tante Georgette; une pintade et des poules prêtées par monsieur Caron; le rat de laboratoire de mademoiselle Sainte-Marie qui est noir et blanc comme une vache. Puis des lapins, des tortues, des salamandres, un essaim d'abeilles dans une petite cage en moustiquaire; tout cela forme l'essentiel du zoo de Carole Bonin.

Pendant quelque temps, je me suis promené d'une cage à l'autre avec mon cousin. Simon ne dit rien. Il a l'air bien sérieux.

Picard a survécu à sa dégringolade sans trop de mal. Il a rejoint son copain Laperle devant la cage des abeilles. Tous les deux se demandent comment Carole a pu capturer toutes ces abeilles, sans se faire piquer.

En fait, ce n'est pas compliqué et sans danger. Carole les a fait venir par la poste. Les abeilles sont arrivées endormies dans une petite boîte. Il n'y avait qu'à les transférer dans la cage avant qu'elles se raniment.

De biais à Picard et Laperle, il y a Paul et sa sœur Hélène. Hélène est plutôt dédaigneuse. Cela paraît dans son visage quand elle examine les animaux et surtout leurs crottes au fond des cages. Hélène est toujours vêtue très proprement. Son jeune frère Paul prend une expression bizarre en regardant l'aquarium à grenouilles. Il a l'air d'un somnambule.

Cet aquarium est séparé en trois parties par des vitres pour empêcher qu'un énorme ouaouaron avale les grenouilles et que, de leur côté, les grenouilles attaquent les crapauds.

C'est justement les crapauds que Paul fixe avec tant d'attention. Pendant qu'Hélène regarde ailleurs, il descend la main dans l'aquarium pour en attraper un. Hélène l'aperçoit en se retournant.

— Touche pas, c'est sale. Tu vas attraper des maladies.

Du coin de l'œil, Picard guettait Paul. Il dit à Laperle, prenant soin de parler juste assez fort pour que Paul l'entende:

— As-tu vu? Le petit crapaud regarde ses semblables!

Laperle trouve la remarque drôle. Il rit facilement, Laperle. Picard rit aussi, fier de sa méchanceté. «Le crapaud», c'est le surnom que les méchantes langues donnent à Paul. Quand on lui parle, Paul se tient tout croche et grimace. Il est timide et ne se mêle pas aux autres.

Vous savez comment c'est à l'école: si quelqu'un bégaye, des baveux dans le genre de Picard vont le coincer en lui disant: «Envoye parle! Parle! Vas-y, ou on va te tordre un bras!» C'est assez pour faire bégayer n'importe qui, ça! Moi, je ne vois pas ce qu'il y a d'amusant à être méchant? Mais on l'est souvent avec Paul parce qu'il est différent des autres.

Hélène n'a pas envie de rire. Elle leur décoche un regard rempli de dégoût. Je crois même que Picard s'est senti gêné.

Tout à coup, Hélène s'épouvante. Elle vient de voir une abeille en train de s'échapper par une déchirure dans le moustiquaire. Elle pousse un cri d'alerte et attrape son frère pour l'éloigner.

— Attention! Y'a une abeille qui va sortir.

Picard tourne la tête... pour se retrouver le nez à un saut de puce du dangereux insecte piqueur. Ses yeux deviennent ronds comme des dollars et il se met à trembler.

— Que personne bouge!

C'est Carole Bonin qui vient à la rescousse. Elle arrive d'une pièce fermée à l'arrière du sous-sol, là où se trouve l'ordinateur de Michelle. En trois enjambées, Carole est devant l'abeille. D'une *pichenotte* bien placée, elle repousse l'abeille au fond de sa cage. Ensuite, elle répare la déchirure du moustiquaire avec du ruban adhésif.

Picard est resté paralysé tout ce temps. Heureusement que sa peur fut de courte durée, autrement il serait devenu aussi vert qu'un concombre.

— C'est pas dangereux qu'elles te piquent? demande Picard, avec une toute petite voix.

Je crois bien que Carole l'intimide, parce que c'est difficile de croire qu'une petite abeille pouvait lui faire perdre à ce point ses manières de matamore.

— Pas si t'es plus vite qu'elles, réplique Carole, sans même le regarder.

Pas plus brave que Picard, Laperle avait disparu sitôt l'alarme donnée. Il s'était caché derrière un baril volumineux, là où Carole garde sa barbue géante. Quelques bouts de tuyaux branchés à un robinet assurent une circulation constante de l'eau. C'est pour cela que le sous-sol des Bonin est aussi humide qu'une jungle tropicale.

Il y a un trou rond percé sur le côté du baril. Sur ce trou, Carole a collé une vitre ronde où se montre de temps à autre une bouche plate entourée de barbe.

— Picard, viens voir, vite! crie Laperle.

— Wâoooh! s'exclame Picard, en arrivant devant le hublot.

Il n'est pas fâché de trouver un prétexte pour laisser Carole parce qu'il ne trouvait rien à lui dire.

À la vue du poisson «géant» capturé par Carole, Picard se tourne vers elle et lui décoche un regard louangeur. Carole ne s'en aperçoit pas. Picard ne l'intéresse vraiment pas. En fait, elle vient de remarquer Simon et le suit du coin de l'œil.

— Elle a pas l'air si grosse que ça, dit Laperle avec méfiance.

Qu'on doute des exploits de Carole choque Picard. Comme à son habitude, il se venge sur-le-champ en défiant Laperle:

— T'aurais peur de l'attraper toi!

— Moi? Jamais de la vie! riposte Laperle, en retroussant sa manche.

Puis, il guette l'instant où la barbue viendra près de la surface. Picard connaît bien le point faible de son copain: il ferait n'importe quoi pour prouver qu'il n'a peur de rien.

Ignorant ce que prépare Laperle, Carole choisit ce moment pour aborder Simon. Je pense qu'elle l'avait tout de suite trouvé à son goût. Elle est bien étonnée de l'accueil que Simon lui réserve.

— Puis, comment tu aimes mon zoo? demande Carole toute souriante.

— Aimerais-tu ça être dans une cage toi?!? réplique Simon les dents serrées.

— Qu'est-ce que tu veux dire?

— C't'écœurant! clame Simon, qui s'emporte pour de bon. Il n'y a pas de lumière ici, c'est humide, cela sent le renfermé, puis ils sont mal nourris, ces animaux-là!

— Je te demande bien pardon, j'en prends soin!

Bon. La chicane a pris. Avec son caractère, Simon n'est vraiment pas sortable. Il n'est jamais capable de dire les choses poliment. En plus, il ne met jamais d'eau dans son vin!

Pour envenimer les choses, Hélène ajoute, en s'en allant du côté de la barbue:

— En tout cas, Carole, tu dois pas les laver souvent tes animaux, ils puent!

Picard arrive en sens inverse, pensant qu'en retour de son appui Carole lui accordera peut-être un peu d'attention.

— T'es qui toi pour venir baver icitte? lance Picard, en poussant Simon.

— C'est juste mon cousin. J'ai bien de la misère avec lui!

Je prends Simon par le bras. Je le traîne pour qu'on parte avant qu'il se fasse trop d'ennemis. Mais lui, il se débat, il s'entête. Heureusement, Laperle fait diversion en frappant dans l'eau pour attraper la barbue.

— Ouah! T'envoies de l'eau crottée sur ma robe! crie Hélène, tout éclaboussée.

— Laperle? Laperle, qu'est-ce que tu fais là!?! Arrête ça, si tu veux pas avoir affaire à moi! menace Carole, qui ne sait plus où donner de la tête.

Je finis par tirer Simon jusqu'aux marches de l'escalier. Il n'arrête pas de faire la leçon à Carole.

— Ton poisson va manquer d'oxygène là-dedans! Faut les libérer, tes animaux, ils ne peuvent pas être heureux dans une cave!

— C'est juste pour l'été. On va les libérer ensuite.

— C'est bien trop tard. Ils passeront jamais l'hiver, maigres comme ça. Il faut les relâcher tout de suite.

À bout d'argument, Simon se laisse entraîner et nous partons tous les deux.

Un problème de réglé pour Carole. Il lui reste encore à s'occuper de Laperle. Prête à utiliser les grands moyens, elle prend une planche et s'apprête à donner un coup dans le dos de Laperle.

Au même instant, Laperle crie de joie. Il vient d'attraper la barbue par la queue et la tient au-dessus du baril. C'est vrai qu'elle est beaucoup plus petite, une fois sortie de l'eau. Déçu, Picard s'exclame:

— Aââah. Elle est pas si grosse hein?!

Si Picard et Laperle avaient mieux examiné le hublot collé au baril, ils auraient compris le truc. Carole s'est servie d'une grosse loupe pour le faire, ce hublot! Il pouvait bien avoir l'air gros, son poisson!

— Bon, c'est assez, Laperle. Lâche ma barbue tout de suite, ordonne Carole.

Pendant qu'on s'engueule à un bout du sous-sol et que personne ne le regarde, Paul rôde autour de l'aquarium à grenouilles. Vivement, il attrape un crapaud, le met dans la poche de sa veste et s'en va discrètement.

Il a plu en fin de journée. Le soir tombé, l'orage menace toujours. Pourtant Carole Bonin se prépare à sortir vêtue d'une étrange façon: elle porte un casque de cycliste auquel elle a fixé deux mini-lampes de poche sur chaque côté, un sac de poubelle troué pour imperméable, des genouillères en plastique, des bottes de pluie avec des semelles de feutre collées dessous, plusieurs cassots attachés à sa ceinture.

— Tu as tout ce qu'il te faut? lui demande sa grande sœur Michelle.

— Oui! Je suis parée, équipée cent pour cent! répond Carole, toujours pleine d'énergie.

Elle enfourche sa bicyclette de montagne.

— Reviens pas trop tard... Rapportes-en le plus possible. Surtout des gros! lui crie sa grande sœur, en la regardant s'éloigner.

Michelle va rentrer quand elle aperçoit une silhouette enfoncée entre les réservoirs de gaz naturel appuyés contre le mur de la maison Bonin. Intriguée, elle scrute l'ombre quelques secondes...

— C'est toi, Picard? Qu'est-ce que tu fais là?

C'est bien Picard qui se cache là. Le «p'tit bum» a l'âme de plus en plus romantique ces derniers temps. Et parfois le soir, il vient tourner autour de la maison de Carole avec le vague espoir de la croiser, de lui parler seul à seule.

Apercevant Michelle aux côtés de Carole, il a eu le réflexe de se cacher, comme un petit pris sur le fait d'une mauvaise action. Pour son malheur, Picard doit maintenant s'expliquer avec Michelle, un grande fille plutôt intimidante. Sortant de l'ombre, il prétexte:

— Ah, moi, rien... je me promenais...

— C'est Carole que tu cherches? lui décoche aussi sec Michelle qui ne tourne jamais autour du pot aux roses.

— Non, non, je fais juste passer...

Picard roule nerveusement des épaules, son regard fuit celui de Michelle.

Finalement, il se décide et demande en se pinçant les lèvres:

— Elle est sortie, ta sœur?

Michelle ne répond pas. Elle s'amuse à le faire languir. Picard comprend qu'elle se paie sa tête; il hausse le ton.

— Allez, dis-le! Où elle est ta sœur?

— Ça va te coûter un dollar si tu veux le savoir!

— Quoi! Tu peux bien te la mettre où tu veux, ta piastre! J'demandais ça de même, moi!

La colère de Picard s'évanouit bien vite. Il est pris au piège de Michelle. Au fond, il n'est pas très brave, Picard. Il baisse le regard vers ses orteils qui gigotent nerveusement dans le bout de ses espadrilles détrempées. Bonne fille, Michelle lui propose un rabais.

— Bon, cinquante cents.

Picard cède. Il sort lentement de son «jean jacket» deux pièces de vingt-cinq cents. Michelle fait semblant de les compter, puis dit:

— Carole est allée au parc Des Moulins... pour ramasser des vers de terre.

— Des vers?! Ça l'écœure pas? s'exclame Picard, abasourdi du courage de Carole. Sacre, c't'une capable, ta sœur!... Bon, bien, salut, j'vais rentrer chez nous là.

— Puis ton cinquante cents? Tu ne vas pas voir Carole?

— Bâh, je la dérangerais peut-être... je la verrai demain.

Picard s'éloigne en traînant de la patte. En fait, il gagne le temps nécessaire pour que Michelle rentre chez elle. Même si Michelle a déjà tout compris, Picard tient quand même à ce qu'elle ne le voie pas courir au parc.

— Aie! C'est pas par là chez toi.

— Humpf? Aaah! C'est vrai, j'me trompe! C'est le parc de ce côté-là.

Gêné et découragé, Picard échappe un grand soupir et repart dans la direction opposée.

* * *

Picard a fait un long détour pour se rendre au parc. La pluie a recommencé et chasse, entre les arbres du parc, des nappes de brume effilochées. Pire que cela, une chauve-souris, pressée d'aller s'abriter, vole au-dessus de sa tête. Cette ambiance de film d'horreur l'impressionne. Il se dégonfle.

— Bon, bien... Je la trouverai pas. Je suis mieux de rentrer.

Il fait trois pas quand une terrifiante créature se dresse devant lui. Elle fait, en bougeant, un cliquetis métallique tout à fait inhumain. Les yeux lumineux du monstre aveuglent Picard et le fixent avec l'intensité du boa hypnotisant sa proie. Pire encore, il voit des pattes terminées par une foule de tentacules minuscules et grouillants.

Cela suffit pour que l'épouvante s'empare complètement de lui. Il tourne les talons et s'enfuit à une allure olympique.

— Qui est là? demande Carole en éteignant les lampes de poche sur son casque.

Trop occupée à classer ses vers de terre par ordre de grosseur, elle n'avait pas vu Picard.

Et maintenant qu'elle écarquille les yeux, il est déjà trop loin. C'est comme ça, Carole ne remarque jamais le pauvre Picard.

Sans se faire plus de soucis, Carole dépose, dans les cassots accrochés à sa ceinture, les gros vers qui tentent de lui filer entre les doigts.

* * *

Au même instant, Simon s'éveille de nouveau au milieu de la nuit. Les yeux tout arrondis, il saute en bas de son lit et vient me réveiller.

— Pierre-Alexandre! On va y aller, m'entends-tu? Demain matin!

— Humpf!? Où ça? Pourquoi tu me réveilles, là?

C'est vrai ça! Pourquoi il ne me laisse jamais dormir, mon cousin? Déjà que, le jour, il n'est pas de tout repos!

— Je l'ai vu! Dans mon rêve...

— T'as rêvé? Comme hier?

— Je l'ai vu, Pierre-Alexandre. Comprends-tu?!

Les yeux me tombent de sommeil. Et quand je les ouvre, c'est le brouillard! Simon trouve que je suis trop lent à m'éveiller, alors il m'attrape par les épaules et commence à me secouer.

— Tu as... Tu as vu quoi?... La fin... fin de ton rêve?

— Mieux que ça! Le chemin qui va au pays de mon rêve... il passe par ici!

— P...Par Sainte-Lu... Lu... cie-de-Bagot? T'... Tu es su... sûr?... Arrête de me secouer, là!

Il me met de mauvaise humeur, Simon. D'abord parce qu'il me secoue comme un chiffon, et aussi parce qu'il rapplique avec son rêve. Puis qu'est-ce que Sainte-Lucie-de-Bagot vient faire là-dedans?

— Faut aller vers le nord. De l'autre côté du Troisième bois, continue Simon.

— Le Troisième bois? Où es-tu allé chercher ça!

— Bien oui! On le traverse, ensuite, on va trouver un océan. Un vrai. Tout bleu. Avec de l'eau salée...

— Un océan? Pas à Sainte-Lucie-de-Bagot, Simon! ... C'est pas Old Orchard ici!

— Il y a une chose bien importante par exemple... Il ne faut pas que les adultes nous voient y aller! Autrement le chemin disparaît. Il y a seulement les enfants qui peuvent trouver ce pays-là!

Qu'est-ce que Simon est en train de m'inventer? Où est-ce qu'il trouve ces idées-là? À moins que ce soit un nouveau jeu. Un jeu d'aventures. C'est très amusant les jeux où on joue un personnage. Simon n'est pas de cet avis, il prend cela très au sérieux.

— C'est pas un jeu!... Mais, tu sais,... quand on fait un jeu... passionnant! C'est comme pour vrai, hein?

— Oui... Parfois...

— Les adultes, cela ne leur arrive plus. Ils ne croient pas assez à leurs rêves, ils sont devenus raisonnables! Tu comprends?

— Hum... En tout cas, ce n'est pas du tout raisonnable de vouloir aller dans un rêve, si on ne sait même pas comment il se termine!

* * *

Le matin suivant, les sœurs Bonin finissent d'installer un kiosque près de la librairie Lincourt. Carole range les contenants de vers de terre étiquetés avec des autocollants «faits par ordinateur». Debout sur une chaise, Michelle récite dans son porte-voix un boniment accrocheur qui fera date dans les annales du commerce d'appâts de pêche.

— Vers à vendre. Vers à vendre. Les vrais vers des champions. Résistent à l'eau froide et malpropre. Pleins de protéines et de vitamines. Ils attirent uniquement les poissons en santé. Ils gigoteraient durant des heures si les poissons ne les avalaient à la seconde où ils sont dans l'eau. Nourris à l'extrait d'huile de poisson pour leur donner un petit goût qui ne trompe pas... un petit goût de «revenez-y»!

Question d'appuyer ses dires, Michelle a aussi fabriqué des affiches décrivant les mérites de ces «super-lombrics».

Absolument irrésistibles. Pleins de vigueur. Agressifs. Fortifiés à la vitamine C. Importés des mêmes champs où se cultivent les fameuses fèves SAUTANTES mexicaines.

Les passants semblent se laisser prendre. Chose certaine, ceux qui ont une âme de pêcheur sont sérieusement appâtés. En douce, Carole glisse à l'oreille de sa sœur:

— Exagère pas tant, Michelle, ils vont croire que ce sont des vers bons pour la chasse!

Picard est là en compagnie de Laperle. Le «p'tit bum» fait semblant d'examiner l'étalage de vers de terre, en se donnant des allures de flâneur. Laperle, lui, ne pense qu'à ses exploits de pêche.

— Cela doit être parfait pour le brochet, ces vers-là. J'en ai déjà pris un gros comme ça! prétend-il, les mains écartées pour donner la mesure d'un poisson impressionnant.

— Un gros ver? se moque Picard, sans perdre de vue Carole.

— Bien non, un brochet! précise Laperle. Il avait plein de dents... J'ai pas eu peur d'enlever l'hameçon.

Picard écoute d'une oreille distraite. Carole est juste devant lui maintenant, occupée à servir monsieur Leblanc. Picard suit Carole d'un regard mielleux.

— Salut Carole! Tu en as ramassé tout un maudit paquet! dit le «p'tit bum», pour lui faire plaisir.

— C'est toi que j'ai vu au parc, hier?

— Moi? Ah, ça se peut. J't'allé faire un peu de jogging hier soir.

Picard allait se noyer dans une rivière de gêne. C'est moi qui l'ai sauvé. Ne me doutant de rien, je reviens de l'épicerie avec un gros sac à provisions dans les bras. Je réfléchis à savoir si ce sont les sacs d'épicerie qu'on fait trop grands ou mes bras qui sont trop courts, quand Picard et Laperle me coupent le chemin.

— Où tu vas, «le p'tit Cadotte»?

— Appelle-moi pas comme ça, Laperle! C'est Pierre-Alexandre mon nom.

— Ça va, choque-toi pas! T'as pas peur de grossir avec tout ça? me dit Picard, content de faire le dur devant Carole.

— Tu sauras que je vais en expédition, avec mon cousin!

Je pensais bien que cela lui en boucherait un coin. Pourtant, Picard se met à rire. Laperle, qui aime beaucoup rire, rit encore plus fort que lui. Mais au seul mot «expédition», le visage de Carole s'éclaire. Tout de suite, elle me questionne, voulant tout savoir.

Comme il voit l'intérêt de Carole, Picard change son fusil d'épaule et me harcèle lui aussi.

— Envoye câline, on est des «chums»!

— Ça me fait pas peur moi les expéditions! Dis-le où vous allez? ajoute Laperle à son tour.

— Je ne peux pas! C'est un secret!

— Entre amis, y'a pas de secret! insiste Picard.

J'avais trop parlé. En ajoutant que c'est un secret, je viens, en plus, de dire un mot de trop! Dans un cas pareil, il n'y a qu'une chose à faire: les écluses sont ouvertes, il faut laisser passer le bateau! Je me dis que, jamais, ils ne croiront à pareille histoire.

* * *

Simon m'attendait au «repaire secret». C'est un espace entre le garage des Bonin, le garage des Leblanc et la maison de monsieur Walkers. Le repaire est inaccessible pour les adultes parce que le passage entre les bâtisses est trop étroit*.

Tous les jeunes des environs connaissent ce «repaire secret». Il s'y dégage une atmosphère d'interdit et de danger très marquant. Puis, sur le mur de la Maison

---

* Il y a un plan annexé à la fin du récit, page 158.

Walkers, il y a une fenêtre condamnée qui, parfois, laisse échapper des bruits... inexpliqués.

Simon est assis sur une caisse de bois chambranlante. Il griffonne son plan de campagne dans un cahier à dessins. Simon apprécie se retrouver seul. En fait, les moments de solitude de mon cousin sont toujours habités par toutes ces idées, tous ces mondes qui s'agitent dans sa tête.

Soudain, il entend quelque chose. Des bruits lui arrivent de la fenêtre mystérieuse... Qu'est-ce que cela peut bien être? Simon est intrigué. Il laisse son dessin et va se coller l'oreille contre la fenêtre.

Il écoute attentivement... C'est étrange. On dirait une personne qui marche sur un plancher de bois, à l'aide d'une canne.

Non! Ce n'est pas cela. C'est plutôt... quelqu'un marchant sur une jambe de bois! Cela fait: Toc... Clac... Toc... Clac... Maintenant, on tire un meuble. Un coffre très lourd peut-être?

De mon côté, mon plan ne fonctionne pas comme je le veux. J'utilise des raccourcis entre les maisons du village pour que les adultes me voient le moins possible... L'ennui c'est que Carole, Laperle et Picard ne cessent de me suivre et s'excitent à tout ce que je leur dis.

— Une vraie mer? questionne Picard.

— Ça se peut pas son histoire! commente Carole qui y croit déjà.

Au début, j'ai marché le plus vite possible, espérant qu'ils me laissent aller. Mais je l'avoue, j'aimais bien qu'ils s'intéressent autant à mon histoire. Et puis, je la leur ai racontée aussi bien que Simon raconte ses rêves.

— Une mer! J'aimerais ça me baigner dans l'océan moi, répétait sans arrêt Picard.

— Puis s'il y a des crocodiles? dit Laperle pour rire.

— T'es malade?! Pour moi, c'est un nouveau jeu!

Il y a un gros érable au fond de la cour des Bonin. L'entrée du «repaire secret» est derrière lui. À mesure qu'on approche du repaire, je commence à m'inquiéter: comment est-ce que Simon va prendre ça?

* * *

Simon écoute à la fenêtre condamnée. Faiblement des sons arrivent jusqu'à lui: Toc... Clac... Toc... ClaC!!!

Brusquement les bruits s'amplifient, se multiplient, se rapprochent. De l'intérieur, un coup est frappé sur les planches. Effrayé, Simon s'éloigne vite de la fenêtre condamnée.

En reculant, il se heurte contre moi.

Simon a eu peur! D'abord, il est content de s'apercevoir que c'est seulement moi.

Mais très vite, il devient de mauvaise humeur en constatant que je ne suis pas seul. Carole, Laperle et Picard sortent tour à tour du passage débouchant dans le repaire.

— Toi puis ta grande trappe. T'es pas capable de tenir ta langue, me dit méchamment mon cousin, en montrant les dents comme s'il voulait me mordre.

— Bien, c'est eux. Je leur ai quasiment rien dit, puis ils m'ont suivi quand même!

Je mens un peu en disant cela. Mais c'est mieux que tout lui dire. Les autres se rendent compte qu'ils ne sont pas les bienvenus.

— Y'a-tu quelque chose qui ne va pas? demande Picard.

— En bande, on va se faire repérer tout de suite. Ils ne peuvent pas venir, me dit Simon, comme si j'y pouvais quelque chose.

— Ah oui!? clame Picard. Sais-tu que tu es dans *notre* repaire secret. C'est à *nous* de décider si on veut de toi!

Je prends la défense de Simon. Picard ne demeure même pas dans notre rue, alors je lui fais remarquer qu'il n'a rien à décider! Loin de comprendre que je suis de son côté et surtout que j'essaie d'arranger les choses, Simon s'en prend maintenant à Carole.

— Puis je veux pas de chasseuse dans mon expédition.

— Quoi! Le p'tit gars de la ville fait son snob! Tu sauras que les animaux, je les aime autant que toi!

La conversation s'envenime. Elle prend même une tournure orageuse. C'est surprenant comme Laperle, qui n'a peur de rien, se tient toujours loin dans ces cas-là. Cette fois, il a un prétexte: on vient dans l'entrée du repaire.

— Aie, il y en a d'autres qui arrivent!

— Va pas là Paul, il y a des clous, tu vas t'égratigner. Paul! Écoute-moi, bon!

Ce sont en effet les voix d'Hélène et de Paul qu'on entend. Huumm! Je me souviens que, avant d'acheter les provisions pour l'expédition, j'ai parlé à Paul. Qu'est-ce que j'ai bien pu lui dire?

— Aaahh! Pas le crapaud! se plaint Laperle, en passant à côté de moi.

— Appelle-le pas comme ça, c'est méchant.

Paul fait son entrée dans le repaire. Il se dégage de la poigne d'Hélène en rechignant. Je ne voudrais pas l'avoir comme grande sœur celle-là. Elle le laisse jamais, son frère, toujours en train de le guetter, de le «protéger». Quand on cherche trop à mener les autres, à la longue, on obtient toujours le même résultat: une révolte. C'est ce qui arrive aujourd'hui à Hélène: Paul est farouchement décidé à faire à sa tête.

Hélène essaie de le raisonner. Elle lui dit qu'il va se faire mal en jouant avec des plus grands que lui. Qu'il va se salir. Que c'est dangereux. Que leur mère va s'inquiéter.

En somme, toutes sortes de choses qui aident Paul à ancrer sa décision.

Nous regardons tous la scène sans intervenir. Simon, qui n'a pas desserré les dents, me demande tout bas:

— Il y en a beaucoup d'autres à qui tu as bavassé?

— J'ai quasiment rien diiiit, bon... Puis je ne savais pas que c'était un secret d'État.

Je n'aime pas du tout qu'on me fasse des reproches. Surtout quand j'ai tort. Je crois bien que je vais bouder Simon, au moins pour le reste de la journée.

De son côté, Paul ne démord pas de son idée. S'il y a une expédition, il en sera! Défiant sa sœur, il avance vers nous et proclame, la mine décidée:

— Puis? On part quand, les gars?

— Bon! Je vais m'en souvenir, Paul! menace Hélène qui perd cette manche, mais n'abandonnera pas la partie.

Simon n'a plus le choix. Il a trop hâte de partir à la recherche de son pays de rêve pour remettre l'expédition à plus tard. Et devant le fait accompli, il doit plier.

— Au point où c'est rendu... Si on peut pas faire autrement, vous pouvez tous venir avec moi.

On a crié de joie. Avec toutes ces tensions, notre envie de participer à l'aventure n'a fait que grandir. Même si personne ne sait vraiment dans quoi il s'embarque.

Simon interrompt aussitôt nos cris. Il a des conditions à poser:

— Mais c'est pas un jeu, d'accord? C'est sérieux! Faut y croire dur comme fer; autrement, ça ne peut pas marcher.

— On a compris! C'est bien plus amusant de faire comme pour vrai! dit Carole pour le rassurer.

— On ne fait pas *comme*... *C'est* pour de vrai! corrige immédiatement Simon. Puis il y a des règles à suivre. Par exemple...

— On les connaît les règles. Cadotte nous a tout dit ça. Hein, «Cadotte qui radote»?!

Il aurait pu se taire Laperle. Après tout, sans moi, il ne serait pas là. Lui aussi, je vais le bouder. De toute manière, je n'ai plus envie de rien lui «radoter».

3

La première expédition

Au repaire, il y a d'un côté «l'entrée secrète» et de l'autre, la «sortie secrète». Celle-là pourrait aussi bien s'appeler la «sortie suicide», parce qu'elle mène directement dans le jardin de monsieur Walkers.

Il a la réputation d'être malcommode, le bonhomme Walkers. Si on a le malheur de se faire attraper, c'est la correction à coup sûr. Ou pire encore, la honte de se faire traîner jusque devant ses parents.

C'est vous dire, je ne connais personne qui soit sorti vivant de son jardin!... Bon d'accord! J'exagère. Je ne connais tout simplement personne qui ait osé y aller.

La «sortie secrète» passe sous la rallonge de la maison de monsieur Walkers. Cette rallonge forme le mur du côté sud du repaire et elle est bâtie sur des poutres plantées dans le sol. Quand on est jeune et pas trop gros, c'est facile de passer en dessous jusque dans le jardin.

Carole ouvre la marche. Paul plonge sous la bâtisse sans hésiter. Hélène maugrée sur l'insalubrité du lieu.

— Ça sent le moisi. Ouch! J'ai mis le genou sur une roche pointue!

— Hélène! Fais une femme de toi. Arrête de te plaindre, lui ai-je dit, en entrant sous la rallonge à mon tour.

— Fait noir en bibitte icitte! se plaint ce peureux de Picard.

— Pfuitt! Ça me fait pas peur moi des tunnels, se vante Laperle.

— Aie! Y'a des yeux, là! crie Picard.

— C'est moi, tarlais! dit Laperle pour le tranquilliser.

Je me rends compte que Simon ne nous suit pas. À quatre pattes, je reviens sur mes pas et je le vois debout devant la fameuse fenêtre condamnée, avec la même expression qu'il fait pour regarder couler le *Quik* dans un verre de lait. J'interviens tout de suite.

— Simon? Qu'est-ce que t'attends?

Dérangé dans ses pensées, Simon hésite un instant et vient me rejoindre sous la rallonge de monsieur Walkers.

* * *

Monsieur Walkers a un très grand jardin, cultivé amoureusement et patrouillé avec une vigilance plus grande encore. La «sortie secrète» débouche entre les rangs de groseilles qui traversent le jardin d'un bout à l'autre.

— Faut pas traîner. Le bonhomme Walkers peut revenir! dit Carole, en supposant que monsieur Walkers n'est jamais loin de son jardin.

Simon, Paul et Hélène passent par la rangée de droite. Moi, je prends celle de gauche qui est plus éloignée de la maison. Voilà que je me bute à Laperle et Picard en train de fouiller dans les buissons de groseilles.

— Qu'est-ce que vous faites? Avancez!

— Les nerfs, là! On regarde si y'a des groseilles, dit Laperle.

J'ai beau leur expliquer qu'ils n'en trouveront pas, que les groseilles ne poussent pas avant la fin de l'été, rien à faire, ils ne bougent pas.

— Fais le tour, si t'es pressé! insiste Picard.

Je n'ai pas envie de rester là et de me faire attraper. Alors, je retourne sur mes pas et je prends la rangée de droite. Tout à coup, une voix autoritaire retentit comme un coup de fouet!

— Qui est là? Allez, montrez-vous? Je vous ai entendus!

C'est Walkers... Terrible. Il avance vers les buissons de groseilles qu'il a vu bouger. Il va directement vers Picard et Laperle qui se ratatinent sur place, comme s'ils essayaient de se changer en plants de groseilles. Walkers s'arrête et seulement deux rangées de groseilles séparent Laperle et Picard d'une bonne correction.

— Sortez de là! Je sais que vous êtes là, j'ai vu bouger les buissons.

Je ne sais ce qui me prend, mais je me lève avant eux. Je regrette tout de suite mon geste: une fois debout, je m'aperçois que monsieur Walkers tient une règle de bois dans ses mains. Impossible de se sauver; il y a une clôture d'un côté et Walkers de l'autre.

— Monsieur Walkers... C'est juste moi, Pierre-Alexandre Cadotte, votre petit voisin de la rue Sainte-Marie... Euh... Est-ce que je peux chercher des chenilles dans votre jardin... Pour ma collection de papillons?

Monsieur Walkers s'étonne et s'inquiète de mon histoire de chenilles. Pendant quelques secondes, je crois qu'il va gober mon invention. Mais non, ça ne prend pas!

— Des chenilles? Dans mes groseilles? Ce n'est pas possible, les oiseaux les mangeraient.

Avec toutes ces maisons d'oiseaux suspendues au-dessus du jardin, puis ces mangeoires spécialisées pour attirer les hirondelles, je suis bien mal tombé avec mes chenilles. Est-ce que je pouvais savoir, moi, que monsieur Walkers se passionne autant pour les oiseaux que pour son jardin?

— Bien, euh... je cherche des *Cecropiœ Monstruosœ*. Ce sont des chenilles qui goûtent très mauvais. Les oiseaux ne les mangent pas.

— Viens par ici, toi, et fais attention à mes groseilles.

Je fais lentement le tour des plants de groseilles. Je me trouve bien jeune pour déjà connaître le sentiment qu'éprouvent les condamnés se rendant au supplice. J'ai au moins une consolation: mon sacrifice sauve mon cousin et les autres. L'attention de monsieur Walkers se portant en entier sur moi, les autres peuvent retourner vers le repaire secret. Monsieur Walkers tient un coupable, mais six autres lui échappent.

— C'est toi qui viens jouer dans mes plants de groseilles, hein? me dit-il, dès que je suis devant lui.

— Non, non, monsieur, non, non...

— Non? Pourtant hier, j'ai trouvé l'empreinte d'une main dans mon jardin!? Ouvre ta main.

Il agite sa règle en demandant cela. J'ouvre quand même la main. Il la prend. Je me tourne la tête de côté. Je plisse les yeux pour ne pas voir. Cela fait peut-être moins mal si on ne voit rien.

En fait, cela ne fait pas mal du tout. Ce qui ne me semble pas normal.

J'ouvre les yeux, un peu seulement. Le bonhomme Walkers est en train de mesurer ma main dans tous les sens.

— Je note la grandeur de ta main, garçon. Si tu reviens dans mon jardin, je le saurai par tes empreintes. Et ce coup-là, je sévirai. Compris?

Je veux crier que oui. Mais j'ai encore trop peur. Je ne dis que de tout petits «oui» et je les répète plusieurs fois, pour être certain qu'il m'entende.

— Oui. Oui. Oui, oui, oui, monsieur. Je ne reviendrai plus. En tout cas, vous avez un bien beau jardin. Bien propre. À mon avis, je trouverai pas de chenilles ici. Je ferais mieux d'aller voir ailleurs. Puis... C'est des bien belles cabanes à moineaux.

Je comprends tout à coup que j'ai mieux à faire que de parler. Je m'enfuis en courant.

L'expédition venait d'échouer au premier obstacle. Picard et Laperle ne sont plus certains d'aimer ce jeu-là. Hélène est bien contente, Paul est déçu.

C'est Carole qui, la première, trouve une solution... et un bon tour à jouer au bonhomme Walkers.

La perspective d'effacer notre échec enthousiasme chacun. La vitesse à laquelle nous sommes tous passés du découragement à l'excitation me donne une leçon. Je comprends qu'à condition de ne pas se décourager un échec a souvent des effets positifs. Dans notre cas, cela nous a fouettés et une vraie solidarité s'est créée entre nous.

Nous revoici dans le jardin de monsieur Walkers. Cette fois, nous sommes très disciplinés. Personne ne parle, personne ne traîne de la patte... En fait nos pattes, nous les enfonçons de tout notre poids pour qu'elles laissent des empreintes bien visibles.

C'est parce que nous marchons sur des pattes d'animaux empaillés, des mains de «monstres extra-terrestres», toutes sortes de choses prises dans la cave des Bonin.

Arrivés au bout des rangées de groseilles, une corde de bois forme une clôture qui nous arrête. Impossible de passer par-dessus, monsieur Walkers travaille à l'autre bout de son jardin. Il nous verrait faire.

Paul nous dépasse par la rangée de droite. Il enlève un carré de contre-plaqué qui cache un passage entre les bûches. Hélène est surprise que son frère connaisse ce secret.

— Paul? Où as-tu appris ça, toi? demande-t-elle tout bas sans obtenir d'explication.

Monsieur Walkers écoute de la musique classique dans les écouteurs de son *walkman*. C'est très bien; comme cela, il ne peut pas nous entendre.

Picard et Laperle sont à la queue de l'expédition. Quand c'est à son tour de passer sous la corde de bois, Picard hésite. Un sourire lui vient au coin des lèvres avant qu'il dise:

— Eh, Laperle. T'as peur de faire une grimace au bonhomme?

Laperle s'immobilise, évaluant l'ampleur du défi. Picard, lui, ne s'attarde pas et traverse de l'autre côté de la corde de bois.

Monsieur Walkers hume l'odeur parfaite de ses roses, quand Laperle se lève dans son dos et Pfrruuiiiiiiiiittt!... lui fait un pied de nez digne de Louis de Funès.

Avant que monsieur Walkers se retourne, Laperle plonge entre les groseilles et traverse la corde de bois, puis ramène le contre-plaqué devant le passage.

Le plus rapidement qu'il peut, monsieur Walkers parcourt les rangs de groseilles, sa règle de bois en main. Il se penche... et découvre un assortiment d'empreintes absolument incroyables.

— Quelle horreur! s'exclame-t-il, la voix éteinte.

* * *

L'expédition rampe sous la galerie de mademoiselle Margot. On est vis-à-vis de sa porte, quand la dame sort. La mine attendrie, mademoiselle Margot vient voir comment va son gros chat qui fait la sieste, couché sur un coussin...

— Regarde mon beau Bijou, il fait un beau soleil. Pourquoi tu ne vas pas te promener? Il ne pleuvra pas aujourd'hui. T'es un gros paresseux. Bon, bien moi aussi, j'pense que j'vais m'installer sur la galerie...

Que faire? Si la dame s'installe pour faire la causette à son chat, cela va être long et nous ne pourrons pas sortir de sous la galerie sans nous faire voir.

Heureusement, Simon trouve moyen de la faire rentrer: il imite, à s'y méprendre, l'aboiement d'un gros chien.

Vivement, l'œil aux aguets, mademoiselle Margot prend Bijou dans ses bras et rentre en claquant la porte derrière elle. L'expédition peut reprendre sa progression.

* * *

Une fois sortis du village, nous devons traverser le terrain vague qui nous sépare encore des champs cultivés.

En plein milieu du terrain, il faut se planquer en vitesse: des motos arrivent en file indienne. Par chance, il y a de gros tuyaux de ciment couchés dans l'herbe et nous pouvons nous y cacher facilement.

Les motards défilent sans nous voir. Le premier engin est une imposante Harley Davidson toute décorée. Les motos suivantes décroissent en puissance jusqu'à la dernière: une simple mobylette. L'âge des conducteurs décroît dans le même ordre.

Ça y est, ils sont passés. Simon les regarde s'éloigner encore un peu. Lorsqu'il s'apprête à sortir, Picard le retient.

— C'étaient mes frères! Attends!

Une seconde plus tard, un autre bruit de pétarade retentit et un garçonnet passe à toute vitesse sur son tricycle, des cartons de cigarettes crépitant contre les rayons de ses roues.

— Le petit dernier. On peut y aller maintenant, dit Picard, pour conclure l'épisode.

* * *

Nous continuons toujours. Nous réinventons les ruses dc l'indien le plus futé pour nous camoufler à travers le village. Nous surmontons des dangers redoutables.

Par exemple, derrière l'Atelier Gauthier & frères, on doit enjamber un tuyau dc métal qui sort du mur. Des jets d'eau et de vapeur bouillante giclent à intervalles réguliers par ce tuyau. À cause de cela, le sol est transformé en une marre de boue et d'eau croupie.

Une clôture de bois, haute comme un adulte, prolonge le mur de l'atelier et interdit l'accès à une cour arrière encombrée de bidons. Il manque une planche à cette clôture et, pendant que nous passons devant, une porte s'ouvre.

Un homme en salopette sort de la bâtisse. Il vient s'installer devant la clôture pour pisser à travers la planche manquante. L'une à gauche, l'autre à droite du trou, Hélène et Carole sont très surprises quand un jet d'urine leur passe à la hauteur des yeux.

Nous retenons notre souffle, en attendant que l'ouvrier finisse de se soulager. Carole en profite pour s'étirer un peu le cou et, des yeux, remonte à la source du jet. Si elle n'avait pas à garder le silence, je pense qu'elle rirait très fort.

De son côté, Hélène est scandalisée. Elle n'ose regarder et bouche les yeux de son frère plus curieux qu'elle.

Nous avançons pliés en deux dans les hautes herbes en bordure des champs cultivés. Tout va bien. À bonne distance, un fermier, assis sur son tracteur, fait la pause et mange un sandwich.

Je le reconnais, c'est monsieur Solis. Il regarde sa montre et doute de l'heure indiquée. Ensuite, il ajuste sa montre, en se fiant à la position du soleil.

Paul marche dans le sillage de Picard. Il remarque accrochés aux tiges, de-ci delà, des amas de substance blanche, gros comme le bout du doigt. Il pense savoir ce que c'est; cela lui donne un haut-le-cœur.

— Picard! Crache pas dans l'herbe, je vais tout me beurrer!

Picard se retourne avec une moue de vieille dame offensée.

— J'ai rien fait moi... c'est de la bave de crapaud ça!

— Ouâh, c'est écœurant! Il y en a partout!

— Qu'est-ce qu'il y a encore? s'enquiert Simon, agacé par tout ce nouveau retard.

— C'est tout plein de bave de crapauds, continue de se plaindre Paul.

— C'est pas de la bave, c'est seulement des œufs de crapauds, précise Simon, pour mettre fin aux gémissements de Paul.

Picard saute sur l'occasion pour lancer une autre méchanceté.

— Aie, Hélène, tu vas avoir plein de petits frères!

Hélène lui a fait de ces yeux! Picard est reparti sans plus rien dire.

Je ne lui ai pas dit, mais Simon se trompait. Ces choses blanches ne sont pas du tout des œufs de crapauds. C'est un insecte, le *Cercopidœ*, qui fait cela pour cacher ses larves.

* * *

Ce n'est pas difficile de comprendre pourquoi la rivière Noire se nomme ainsi. Il n'y a qu'à regarder la couleur de l'eau. Cette rivière est la honte de Sainte-Lucie-de-Bagot et on en parle encore moins que des horloges.

Il y a un vieux pont et un nouveau pont qui la traverse. Mais comment franchir l'un ou l'autre sans se faire voir. Laperle nous apprend qu'il y a moyen de passer en dessous du vieux pont, en marchant sur le rebord des poutres métalliques. Il ajoute qu'il n'aurait pas peur de le faire.

Nous non plus et c'est ce que nous faisons. L'un après l'autre, nous nous aventurons sous le pont. Carole et Paul sont les premiers. Paul a la mine gourmande, comme s'il allait avaler l'obstacle d'une seule bouchée. Dernière à grimper sur le rebord de la poutre, Hélène se ravise au dernier instant...

— Aie, je vais pas là moi, c'est bien trop dangereux. Paul! Reviens!

— Silence! Tu vas nous faire repérer, ordonne Simon, sans élever la voix. Reste là si tu veux. Mais cache-toi. Il faut que personne ne te voie avant qu'on réussisse!

— T'inventes donc des règlements de fou!

— J'invente rien!

Hélène demeure indécise un instant, puis grimpe et s'accroche à la poutre.

Nous ne sommes pas très loin que déjà il faut s'arrêter. Picard n'avance plus, cachant mal sa peur des hauteurs. Laperle en profite pour lui remettre la monnaie de sa pièce...

— Allez avance! Qu'est-ce qu'il y a? T'as peur de traverser?

— Humpf! Voyons donc! C'est pas ça... mais ce pont-là, il est tout rouillé, il n'a pas l'air solide, prétexte Picard.

Nichés sur la corniche ceinturant les piliers, des pigeons s'envolent. Leurs battements d'ailes amplifiés par l'écho font un bruit étourdissant. Plus désagréables encore, des toiles d'araignées nous collent au visage.

Un fil adhère au nez de Picard. Agacé, il se passe une main sur le visage... À cause de ce geste, il regarde pour la premièrc fois directement sous lui.

Est-ce l'effet du vertige? Il voit le sol s'éloigner rapidement, au point que les détails deviennent minuscules. Picard se sent propulsé en orbite. Le vertige le paralyse complètement.

— Pourquoi tu arrêtes? me demande Simon, encore de mauvaise humeur.

Et moi de lui répondre.

— Ce n'est pas moi, c'est Laperle.

— C'est Picard qui a gelé dur, proteste à son tour Laperle. Ôte-toi au moins qu'on passe.

— Je peux pas! Reculez! C'est bien trop haut.

Impossible d'aller plus loin avec ce Picard cramponné au milieu du chemin. Nous revenons sur la berge. Même là, il faut attendre Picard. La tête enfoncée entre les épaules, il revient lentement sur ses pas, en longeant la poutre.

— T'es ben pissou! lui lance Laperle.

— J'aime pas le vertige, moi! Le reste me fait rien, mais le vertige je suis pas capable! Puis je te jure, c'était bien plus haut que ça tout à l'heure! proteste le «p'tit bum», en nous jetant un regard gêné.

En retrait, Hélène prend son frère par le bras.

— Bon, c'est assez Paul. On va rentrer.

Paul se dégage d'un geste agacé. Simon aussi rumine dans son coin.

— Je le savais. En bande, on ne réussira jamais.

Une idée vient tout à coup à Carole. Sans plus d'explication, elle demande:

— Picard, as-tu peur de l'eau?

— Non, non... tu ne veux pas que je nage jusque de l'autre bord?

— Bien mieux que ça! Tu vas voir, tu n'auras même pas à te fatiguer!

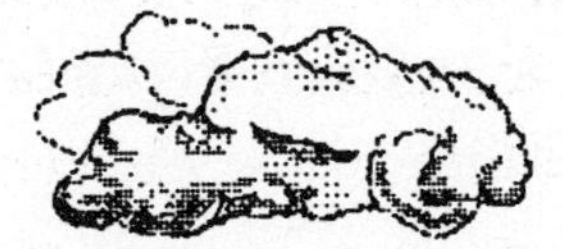

Un orage nous surprend. Je suis prévoyant et j'ai apporté un imperméable dans mon sac. Simon et les autres n'en ont pas.

Avec le canif de Simon, Carole leur montre comment se découper des «ponchos» dans les toiles en plastique qui sont sous le pont. Il y a toutes sortes de matériaux de construction abandonnés là. Du ciment, qui ne nous sert à rien, des cordes, des barils, des toiles en plastique et un long câble que nous déroulons jusqu'à l'autre berge, toujours en passant sous le pont.

Là, nous commençons à remorquer Picard. Parce que c'est cela l'idée de Carole: enfermer Picard dans un baril et le remorquer d'une rive à l'autre.

Les mains sur les hanches, Carole bat la cadence. Le baril tangue, mais il vogue à vitesse régulière. Arrivé au milieu de la rivière, il y a un bruit inquiétant: le baril racle un haut-fond et, finalement, s'échoue.

— Ah, non. Je l'avais dit aussi que c'était une idée de fou! se lamente Hélène.

— On serait mieux de trouver une chaloupe pour aller le chercher!

— C'est pas nécessaire. Il va se déprendre, prétend Carole. Tirez plus fort! Allez! Hô Hisse! Hôôôô Hissssssse! Hôôôô Hissssssse!

Je ne connais rien de plus énervant que de s'apercevoir, tout à coup, qu'on frise la catastrophe. En tout cas, cela donne beaucoup d'énergie, parce qu'on s'est tous mis à tirer très fort. Nos bras et nos jambes nous font mal, mais nous tirons plus fort encore.

Ce n'était pas la bonne chose à faire. Je le sais maintenant. En cas de malheur, il faut toujours prendre le temps de réfléchir. On peut se demander, par exemple, ce qu'il faut éviter de faire pour ne pas aggraver ce malheur.

Ce qui devait arriver arriva. D'un coup, la corde casse. C'est la culbute les uns par-dessus les autres. Le temps de se relever et nous voyons le courant qui emporte le baril! Carole avait raison: en tirant fort, le baril s'est dégagé!

C'est l'affolement! La catastrophe! Le désastre! On crie à Picard pour l'avertir. Rien à faire, il n'entend pas. De toute façon, le couvercle du baril ne s'ouvre que de l'extérieur. Nous courons sur la berge, accompagnant le baril dans sa dérive. J'espère que le courant finira par le ramener près du bord.

* * *

Recroquevillé au fond de son tonneau, Picard croit que tout va bien. Il a le sentiment apaisant de se déplacer à une vitesse régulière. Cela ne l'empêche pas de s'impatienter.

— Qu'est-ce qu'ils font?! C'est donc bien long! se demande-t-il, en frictionnant ses jambes engourdies. Pour moi, ils font exprès. Ils me jouent un tour. C'est correct... Je ne m'énerverai pas, je vais lui montrer à Carole Bonin que je suis capable!

Picard prend une grande respiration; cela donne parfois du courage. Mais c'est plutôt une nouvelle inquiétude qui envahit ses pensées. Est-ce son imagination, ou est-ce le baril qui se déplace plus vite?

— Pourquoi je me suis fait embarquer là-dedans?! se dit-il, en commençant à regretter son aventure. J'aurais dû leur dire que je sais pas nager... Non, mais je suis donc bien fou! Manquer de me faire tuer pour Carole Bonin!... En plus, elle s'intéresse même pas à moi!

Picard a raison de penser que le baril accélère. C'est parce que le courant de la rivière augmente de vitesse, en approchant du barrage de la Penman's*.

Quelques secondes plus tard, Picard sent son univers chavirer. Le baril bascule et saute l'obstacle. Impuissants, nous assistons à la fin tragique du «p'tit bum à Picard».

---

* La Penman's était une usine textile fabriquant des caleçons longs et des combinaisons. L'usine n'existe plus, mais le barrage retenant l'eau nécessaire pour faire activer ses turbines est toujours là.

Pauvre Picard! Je me demande comment nous ferons pour annoncer cela à ses parents!

Le baril s'est planté dans un fond boueux. Il y a tout juste trente centimètres d'eau au pied du barrage. Quand même, personne n'ose approcher du baril: Picard dans son cercueil, réduit en bouillie, les os broyés... Et noyé en plus... Ce ne doit pas être joli tout de suite!

Tout à coup, un frisson nous chatouille le dos: contre toute attente, des cris assourdis sortent du baril et raniment l'espoir.

— Aie, c'est-tu fini là? Aie là!? Venez me chercher! Qu'est-ce que vous faites?

C'est un miracle; Picard est vivant! Laperle se précipite dans l'eau, suivi de Carole. Hélène court aussi donner un coup de main... et tant pis pour ses vêtements que l'eau polluée de la rivière achève de ruiner.

Le couvercle est vite défait. Picard sort tout engourdi. Mieux encore, il est trop étourdi pour comprendre ce qui est arrivé.

— T'as rien de cassé, Picard? demande Hélène tout émue.

— Il a l'air correct!? soutient Carole, la mine agressive.

— Aie! Comment ça, j'suis en bas du barrage?!? s'écrie Picard, revenu à la réalité.

Laperle lui tricote quelques explications louvoyantes qu'il assimile en blêmissant. Déjà que j'étais surpris qu'Hélène se soit lancée à l'eau, la colère qu'elle fait achève de me mettre la puce à l'oreille.

— En tout cas, c'était une maudite idée de folle. Y'a bien juste les Bonin pour penser à ça!

— Bien quoi? Il n'a rien, Picard, il s'est même pas fait mal, se défend Carole.

— Non, non, j'me suis pas fait mal, affirme Picard, la voix cassée.

Hélène tourne le dos à Carole. Elle revient sur la berge et, de là, crie bien fort en direction de Carole.

— Puis, vous ne me reprendrez pas à passer en dessous d'un pont! Viens-t'en, Paul!

— T'aurais mieux aimé monter dans le baril? Avec Picard? lui réplique Carole.

Ce qui fait beaucoup rire Laperle. Parfois, Laperle, il a un rire vraiment épais comme une coulée de mélasse. Rougissant, Hélène quitte les lieux en tirant son frère par le bras.

Franchement, le jeu de Simon n'arrête pas de causer des chicanes. Puis on doit se compter chanceux que la journée n'ait pas fini plus mal encore. Quand je dis à mon cousin que je trouve son jeu pas mal dangereux, il se fâche.

— C'est... pas... un... jeu..., O.K.! J'ai forcé personne à me suivre!

Simon s'en va en me faisant la gueule. Pourquoi est-ce que mon cousin se met en colère chaque fois qu'on lui dit des choses raisonnables?... Si au moins il savait comment il finit ce rêve-là!

Toujours les pieds dans l'eau, Carole prend une mine songeuse. Elle doit se sentir un peu coupable envers Picard.

— Je m'excuse. Mon idée n'a pas trop bien marché.

— C'est pas grave. Je me suis rien fait, prétend Picard, en grimaçant parce qu'il a mal partout.

— Tu as été bon quand même, ajoute Carole avec un accent de flatterie... Je veux dire que tu as du talent!

— Tu penses? Du talent pour quoi?

— Connais-tu les chutes Niagara?

— Ouais. Pourquoi tu me demandes ça?

— Oh, pour rien. Je t'en reparlerai une autre fois...

Carole s'en retourne chez elle, sans autre explication. Avec du retard, Picard croit comprendre ce qu'elle a voulu dire. Un sourire béat lui retrousse les lèvres...

Il vient tout de suite se confier à moi, parce que son copain Laperle est occupé à lancer des roches sur des carpes qu'il a vues remonter le courant.

— Aie, Carole veut se marier avec moi, je pense.

J'encaisse le coup avec perplexité. Comment Picard en arrive-t-il à imaginer quelque chose d'aussi improbable? Je l'interroge avec tact.

— Ah? Ça s'est décidé vite!? Qu'est-ce que Carole t'a dit au juste?

Il me relate sa conversation avec Carole, ajoutant que c'est justement aux chutes Niagara que ses parents ont fait leur voyage de noces. Pauvre Picard! Cela m'étonnerait qu'il sache même ce que c'est un voyage de noces!

Je le quitte en disant que Carole pensait sans doute à autre chose.

— Autre chose? Quoi d'autre?

Picard cherche dans sa mémoire une réponse à sa propre question. Une image imprécise se forme dans son cerveau. Il se tourne vers le barrage de la Penman's.

Dans sa tête, cela prend des proportions vertigineuses et, l'espace d'une seconde, il pense voir un baril emporté par des flots puissants et basculer du haut des chutes Niagara... Picard évacue bien vite de son cerveau cette pensée trop effrayante.

4

Le crapaud disparu

La nuit suivante, Simon s'est encore agité dans son sommeil. Cela m'a réveillé. Je ne suis arrivé à me rendormir qu'en me cachant la tête sous l'oreiller.

Cela faisait la troisième nuit dc suite qu'il m'empêchait de prendre tout mon sommeil. Au matin, je suis trop fatigué pour m'occuper de lui. Je m'installe sur ma chaise longue au bord de la piscine. La journée est magnifique et je compte bien profiter du soleil, en lisant un tome de mon encyclopédie favorite.

Simon ne s'en plaint pas. Il part en disant qu'il va faire un tour.

* * *

Michelle Bonin travaille sur son ordinateur. Elle fait jouer sa souris, déplace un graphique sur l'écran et enfonce quelques touches. Une courte séquence d'animation joue à l'écran: des étoiles roses font un cercle qui tourne sur un fond de montagnes effilées. Apparaît ensuite, en surimpression:

LES PRODUCTIONS BONIN & SŒUR PRÉSENTENT

Sautant d'une montagne à l'autre, une grenouille fait trois bonds pour se placer en gros plan. La grenouille ouvre une énorme gueule pour émettre un rugissement surprenant. La séquence se termine là.

— Bon! C'est parfait comme ça! dit Michelle, satisfaite de son travail.

Carole se tient derrière elle depuis quelques secondes. Quelque chose la préoccupe.

— Michelle... À propos de grenouilles, il y a encore un crapaud qui s'est sauvé.

— Quoi! Il en disparaît un tous les jours! Il faut le rattraper, avant que maman tombe dessus.

Michelle prend cet air agacé qu'ont les grandes sœurs ou les grands frères quand on les dérange dans leurs affaires.

— Il n'y a pas de danger, maman ne le verra pas, elle ne vient jamais à la cave, prétend Carole qui minimise la portée de l'évasion.

— Mais le crapaud peut monter, réplique Michelle, très logiquement.

— Bien non! Il va rester en bas. Pourquoi il irait se faire sécher en haut?

— Tu as dit la même chose pour la couleuvre. Ça n'a pas empêché maman de la retrouver dans la cuisine... Oups! fait

Michelle, s'apercevant de ce qu'elle vient de dire.

À toute vitesse, elle monte à l'étage, question de vérifier son idée. Au même instant, Hélène arrive par l'entrée de cour arrière.

— Tu n'as pas vu Paul?

Toujours inquiète au sujet de son frère, celle-là. On a tous bien hâte qu'Hélène cesse d'imaginer un malheur chaque fois qu'elle le perd de vue.

— Bien non. Je passe pas mon temps à le surveiller moi, répond sèchement Carole qui se rappelle la colère qu'Hélène lui a faite la veille.

— Tu sauras que mon frère a besoin de moi. Il n'est pas capable tout seul.

— Tu l'as vu traverser le pont hier? Il se débrouille mieux que tu penses. Laisse-le faire; il va moins souvent se cacher de toi.

— Paul ne se cache pas de moi!...

Hélène ravale sa salive. Elle n'est pas venue pour se quereller. Alors, elle se forge une voix gentille et demande à Carole:

— Qu'est-ce que tu fais?

— Je cherche un crapaud.

Hélène reçoit cette réponse comme une insulte. Elle tourne les talons, gravit les marches deux à deux et claque la porte.

— Insulte-toi pas, lui crie Carole, c'est un de mes crapauds qui s'est sauvé... Aâââh, elle est donc bien compliquée, elle!

* * *

Pendant ce temps, Simon fait les cent pas près du garage des Bonin. Il feint de s'intéresser aux oiseaux perchés sur les branches du gros érable.

En fait, de quelques regards discrets, il s'assure que personne ne le voit. Puis, en vitesse, il ramasse son sac à dos dissimulé derrière l'arbre et disparaît dans le passage qui va au «repaire secret».

Une fois là, il enlève le foulard qu'il a autour du cou et se fait un bandeau. Ce n'est pas que Simon se prend pour un samouraï, mais il aime bien les rituels.

Encore le temps de porter un regard à la fenêtre barricadée et il disparaît sous la rallonge de monsieur Walkers.

Nous avons tous au moins une chose qui nous fait horreur. Pour Simon, c'est le contact avec la terre. Il ne l'a jamais dit à personne, mais Simon n'aime vraiment que les animaux assez gros pour être vus; et il y a toutes sortes de petites choses qui vivent dans la terre. C'est tout le contraire de moi qui préfère le monde des insectes.

Vous comprenez à quel point Simon y tient, à son expédition, pour ramper comme il le fait dans la terre molle d'un jardin. Il s'appuie quand même sur les coudes et touche à la terre le moins possible.

À mi-chemin entre les rangées de groseilles, un crapaud bondit à deux mètres à peine devant lui. Quelqu'un m'a déjà dit que Rambo a des yeux de crapauds. Quand on en regarde un de près, on voit tout de suite la ressemblance.

À mon avis, le crapaud est quand même plus sympathique. Celui qui est devant Simon fait même un peu pitié. Il a l'air d'une petite bête traquée.

Simon sourit, la présence du crapaud l'amuse. De l'index, il fait rouler un petit caillou vers l'animal pour qu'il s'enlève de son chemin.

Très vite, une main surgit des buissons de groseilles et enlève le crapaud. Simon est bien surpris. Il se passe la tête entre les plants de groseilles et a tout juste le temps de voir, dans la rangée voisine, Paul qui traverse le passage dans la corde de bois.

Paul trottine jusqu'au fond de la cour de mademoiselle Margot et se cache derrière la remise. Simon le suit. Il se dissimule au coin de la remise et surveille Paul.

Il y a une chaudière sur une bûche. Elle est toute cabossée. Paul dépose le crapaud dans la chaudière. Ensuite, il prend une grosse pierre et la soulève pour écraser le malheureux crapaud.

— Arrête! lui crie Simon.

Surpris, Paul recule vivement. Il se serait bien sauvé mais il y a une clôture derrière lui. Immédiatement, Simon prend le crapaud et le flatte du bout du doigt comme pour le tranquilliser.

Mon cousin vient de découvrir la manie secrète de Paul: il capture des crapauds et les tue. Longuement, les deux garçons se dévisagent.

— Pourquoi tu fais ça? demande calmement Simon.

Paul hésite un moment en se mordant les lèvres nerveusement.

— Quand il n'y en aura plus, ils vont bien arrêter de m'appeler le crapaud... Puis ils sont laids!

Paul, d'habitude doux et effacé, adopte une attitude agressive maintenant que son secret est démasqué. Sans doute craint-il la réaction de Simon, l'amoureux des animaux grands et petits. Pourtant Simon ne lui en veut pas. Il lui fait bien un peu la morale.

— C'est pas si laid les crapauds. C'est utile en plus! Ils empêchent les insectes de ravager les jardins.

— J'mange pas de mouches, moi! Ils ont pas d'affaire à m'appeler comme ça! réplique Paul, la voix chargée d'émotion.

Cela surprend Simon et le crapaud aussi qui essaie de se sauver. Mon cousin n'a pas l'habitude des confidences. Il est gêné d'avoir découvert le secret de Paul. C'est toujours gênant de connaître les problèmes des autres. On sc sent un peu responsable, dérangé dans sa tranquillité d'esprit, détourné de ses propres problèmes, mais surtout on se sent inutile. Cela fait qu'on évite de parler de soi-même, de ses faiblesses.

Mais une fois que la glace est brisée, c'est un peu comme un printemps. On se sent revivre. Quand mon cousin suggère à Paul qu'il devrait plutôt s'en prendre à ceux qui lui donnent de méchants noms, parce qu'écraser des crapauds n'avance à rien, Paul devient songeur.

Il pèse le poids du conseil. Il y a déjà pensé, c'est certain. Mais jamais il n'a vu que, en s'en prenant à une bête innocente, il répète les agissements que d'autres lui font subir.

Paul s'apaise en se découvrant une complicité avec Simon. Il se sent soulagé.

— Tu étais dans le jardin du bonhomme Walkers?

— Hum, hum,...

— Aaaaah! fait Paul, retrouvant ses yeux gourmands et son sourire fragile. Tu retournais au Troisième bois?

Simon ne répond pas tout de suite. Il se contente de poser le crapaud par terre et le pousse du doigt pour qu'il saute sous le couvert d'un arbuste.

* * *

Pas très loin de là, dans les «quatre saisons» entourant la galerie de mademoiselle Margot, on devine deux silhouettes à travers les feuilles. Ce sont Picard et Laperle. Picard tient une petite souris en tissu qui pend au bout d'un long fil. Laperle ouvre une boîte métallique renfermant une poudre grise.

— Où tu l'as eue? demande Picard à voix basse.

— Tu connais le magasin La Rigolade? Il y a juste là qu'il se vend du poil à gratter.

Délicatement, Laperle saupoudre la souris de poil à gratter. Il y met autant de précautions que pour manipuler de la nitroglycérine. Et pour cause, Laperle a mélangé dans sa boîte plusieurs sachets de poudre à éternuer et de poil à gratter. Un mélange explosif, incompatible avec les cœurs faibles.

Ne se doutant de rien, le chat de mademoiselle Margot se prélasse sur son coussin. Un objet vole dans les airs en provenance de l'autre bout de la galerie. Coup de pot! se dit le chat, voilà une souris!

Il trottine vers elle, trouvant quand même louche l'immobilité de la chose. Picard tire sur la corde. La souris se déplace un peu et le chat attrape la souris. Il la renifle... puis éternue sèchement, avant de reculer et de s'enfuir, étonné et confus.

Les compères ricanent, assis sur leurs talons, derrière les «quatre saisons».

Picard se gratte machinalement le poignet, quand Laperle voit Simon et Paul qui traversent à la course le terrain de mademoiselle Margot. Laperle et Picard s'interrogent des yeux: quelque chose se prépare à leur insu?

J'avais mis mon bermuda fleuri à la mode d'Old Orchard et une chemise à palmiers. C'est idéal pour passer une journée sur le bord de la piscine. Et bien plus reposant.

J'arrive pour prendre le verre de limonade sur le tabouret à mes côtés, quand Picard et Laperle se placent devant le soleil et me font de l'ombre. Comme j'ai du mal à leur voir le visage, je soulève mes verres fumés.

— Tiens, tiens, t'es pas avec ton cousin? se moque Picard.

— Ouais, puis sais-tu avec qui il est? continue Laperle, pour que je ne manque pas le sous-entendu.

— Aââââh! Venez pas me baver vous autres.

Je décide de les ignorer et de retourner à ma lecture. Pourtant lorsque Picard m'apprend que mon cousin et Paul sont allés au repaire secret... Ensemble... En se cachant... Cela me fait de la peine que Simon se cache de moi pour tenter une nouvelle «expédition».

— En se dépêchant... on pourrait encore les rattraper...

Pour une fois, la suggestion de Laperle n'est pas si folle. Simon m'en a assez fait voir, ce sera l'occasion de lui remettre ça. C'est décidé, je pars avec eux!

* * *

Carole termine une savante installation sur le plancher de ciment, quand Hélène revient au sous-sol. La sœur de Paul approche timidement de Carole.

— Carole? Tu n'as toujours pas vu mon frère?

— Non, il est pas venu ici.

— Excuse-moi pour tout à l'heure. Je me suis fâchée pour rien...

«Ça va», lui signifie Carole d'un haussement d'épaules. Hélène piétine sur place durant quelques secondes. Elle cherche comment engager la conversation du bon pied.

— ... Qu'est-ce que tu es en train de fabriquer là?

— C'est un piège à crapauds échappés, répond Carole.

Le piège consiste en un rectangle de moustiquaire posé dans un «plat à vaisselle» empli d'eau. Deux douzaines de mouches bourdonnent dans cette cage sans pouvoir s'échapper même si des trous sont découpés dans le moustiquaire. Carole les a fait en dessous du niveau d'eau. Elle passe la main dans l'un d'eux et explique:

— Les mouches ne peuvent pas sortir du piège. Ça ne nage pas, une mouche.

Mais les crapauds vont entrer, par ici, pour attraper les mouches. Ils vont rester là tant qu'il y aura des mouches à manger. C'est pour ça que j'ai mis beaucoup de mouches.

Hélène s'interdit de laisser paraître son dégoût devant une invention aussi «malpropre». C'est qu'elle attend le bon moment pour faire un aveu à Carole.

— Euh. Il faut que je te dise Carole... Les crapauds, bien... Je pense que c'est Paul qui te les a volés.

— Pourquoi il ferait ça?

— Je sais pas...

Trois ombres masquent successivement la lumière venant du soupirail. Les filles se tournent de ce côté, puis courent voir ce qui se passe. Par le soupirail, elles voient disparaître derrière le gros érable, nuls autres que Picard, Laperle et moi-même.

* * *

Monsieur Walkers s'est fait un bouquet de ses plus belles roses. Il aime bien répandre leur odeur dans sa maison. Mademoiselle Margot, qui revient de faire des emplettes, l'interpelle de la ruelle.

— Belle journée monsieur Walkers. Toujours en train de «trimer» vos rosiers? Cela ne se peut pas d'avoir le pouce vert comme vous! C'est incroyable comme votre jardin est en avance sur la saison!

Monsieur Walkers zigzague entre les buissons de groseilliers pour venir au devant de mademoiselle Margot. En chemin, il dépose les roses sur un buisson de groseilliers.

— C'est que le terrain ici est très particulier, mademoiselle Margot. Il ne gèle pas de tout l'hiver. Comme on dit à Sainte-Lucie-de-Bagot: c'est un *mystère*... à cause de la «montagne magnétique», là, sous la terre de mon jardin! (Cette introduction terminée, monsieur Walkers devient très sérieux.) Aââh, mais il faut que je vous dise mademoiselle Margot; il y a quelque chose qui me cause beaucoup de souci. Votre chat! Il fait peur à mes oiseaux. Il veut les manger!

— Oôôh, vous n'avez rien à craindre, il n'a plus de griffes! dit la bonne dame, en riant.

— Mais il a toujours ses dents! réplique avec mordant monsieur Walkers.

Pendant que les adultes engagent une conversation sur les chats et les oiseaux, Simon et Paul traversent le jardin, cachés dans les groseilles de monsieur Walkers.

Quelques secondes plus tard, c'est notre tour à Picard, Laperle et moi. Je fais vite et sans bruit. Derrière moi, Picard se retourne et défie Laperle à voix basse.

— Aie, Laperle! T'as peur de lui prendre son bouquet?

Laperle n'hésite pas. Il repère le bouquet, passe la main entre les groseilliers pour s'en saisir et lance le bouquet au fond de l'allée.

La conversation des adultes a maintenant changé tout à fait de ton. Ils se sont trouvé une passion commune. Je crois bien que, depuis le début, mademoiselle Margot a un plan en tête à ce sujet, parce qu'elle s'est mise bien chic pour seulement faire des emplettes.

— J'espère que ce ne sont pas mes oiseaux qui vous font lever si tôt, n'est-ce pas? demande monsieur Walkers, presque timide.

— Non, non, c'est une vieille habitude de maîtresse d'école, proteste mademoiselle Margot, avec de grands gestes gracieux.

— Moi aussi, je me lève tôt... Je vais observer les oiseaux dans la campagne...

— Ooooh! Comme ce doit être agréable.

— Oui, très...

Le silence se prolonge quelque temps, puis une idée vient à monsieur Walkers...

— Tenez mademoiselle Margot. J'ai quelque chose pour vous.

Monsieur Walkers se tourne vers le bouquet... qui n'est plus là. Il se dit qu'il est tombé par terre. Il se penche. Dans son dos, la main de Carole apparaît et dépose le bouquet sur le buisson de groseilliers.

À cette seconde précise, monsieur Walkers se relève et l'aperçoit. Étonnant, pense-t-il, les bouquets se déplacent tout seul maintenant? Un voile d'inquiétude assombrit son visage un instant: c'est qu'il se passe un peu trop «de mystères» dans son jardin.

Mais il est tout sourire en revenant à mademoiselle Margot pour lui offrir le bouquet de roses. La bonne dame est tout à fait ravie. Mais pas seulement à cause des roses. Elle est aussi bien contente d'elle-même.

5

Le jeu d'espions

C'est très amusant de jouer à l'espion. Plus excitant encore que l'expédition de mon cousin, parce que, cette fois, nous avons un objectif précis en tête: surprendre Simon. Ça au moins, on est certain de le réussir, alors que découvrir un pays magique ou un océan, c'est franchement du délire!

À douze ans, les garçons sont toujours très doués pour faire les espions. La preuve est que nous traversons tout le village sans être vus de personne et sans perdre de vue Simon.

J'ai découvert plus tard que les filles sont au moins aussi bonnes que nous dans ce domaine. Parce que Carole et Hélène nous ont suivis tout le long sans qu'on s'en doute.

Picard nous a montré une nouvelle façon de traverser le vieux pont. Nous sautons sur le marche-pied à l'arrière d'un camion et c'est lui qui nous amène de l'autre côté de la rivière. Le pont est si étroit et si vieux que les conducteurs ralentissent beaucoup en l'abordant. En dessous de nous, Simon et Paul sont passés en marchant sur les poutres.

Il y a eu les fossés et les champs de «blés d'Inde» qui sont comme une jungle. Maintenant, nous sommes dans une forêt, dissimulés dans un ravin très à pic.

Ce ravin fait beaucoup de zigzags et c'est facile de se cacher à un détour pour surveiller Paul et Simon. Comme les filles font la même chose, dans notre dos, la poursuite devient un jeu de saute-mouton pour espions.

Paul et Simon finissent bien par se douter de notre présence. Après un détour à angle droit, Simon jette son foulard dans une direction pour nous tromper et il part en courant dans la direction opposée. Lui et Paul disparaissent aussitôt dans un embranchement du ravin où poussent de très grandes herbes.

Ils courent assez longtemps avant de s'accroupir derrière un rocher entouré d'herbes sèches et plus hautes encore. Ils ont le souffle court d'avoir tant couru, mais s'efforcent de rester silencieux.

Venu de loin, un bruit attire l'attention de Simon.

— Entends-tu?

Paul fait signe que non. Les herbes sont tellement denses que Simon ne peut voir d'où vient ce bruit. Une étrange impression de déjà vu anime Simon. Pour en avoir le cœur net, il se fraie un chemin en écartant les tiges raides et les feuilles coupantes. Le bruit se précise et le guide:

on dirait le battement régulier que font des vagues.

Finalement, Simon écarte les dernières tiges devant son visage... Et s'immobilise bouche bée.

L'instant d'après Paul le rejoint. Tout de suite, son visage prend une expression d'immense étonnement.

Il y a un vent chaud qui leur souffle dans les cheveux. Leurs regards émerveillés pointent vers l'horizon...

* * *

Carole et Hélène sont à l'endroit où Simon nous a semés. Soudain, trois silhouettes bondissent les bras tendus, en faisant d'horribles «Bââââh! Boûûûh! Rââeurrgh!».

C'est nous trois. À défaut de surprendre Simon, Picard et Laperle se rabattent sur les premières victimes venues.

— Hahaha, on vous a surpris, hein! dit Picard, fier de son coup.

— Maudits fous! Faites-moi plus jamais peur comme ça, menace Hélène encore tremblante.

Nous avons beau rire, en fait, nous sommes déçus. Cela remet en question nos tactiques d'espions. C'est certain qu'elles ne sont pas venues dans ce bois pour ramasser des champignons ou chasser les papillons. Elles nous suivaient en cachette!

— Non, non, j'aidais juste Hélène à chercher son frère! dit Carole, qui ment et nous laisse dans l'incertitude.

— On le suivait justement nous autres... mais on l'a perdu, avoue Laperle.

— Maudit Laperle, tu m'en as échappé dessus, de ta poudre.

Picard retrousse sa manche pour se gratter l'avant-bras. Picard a chaud et cela active les effets du poil à gratter. Le «p'tit bum» veut enlever sa veste. Elle est trop petite et les manches se coincent sur ses avant-bras.

— Attends, je vais t'aider, propose Hélène, trop contente de donner un coup de main à Picard.

Soudain, la voix de Paul nous surprend.

— Venez voir! Vite!

Tout excité, Paul se montre une seconde et retourne aussi vite à travers les grandes herbes. Nous le suivons tous. Picard traîne la patte parce qu'Hélène l'a laissé en plan, les bras encore coincés dans les manches de sa vestc. C'est bien difficile de courir les bras attachés dans le dos.

À voir l'expression réjouie de Paul, on se doute bien qu'il veut nous montrer une chose excitante. Mais ce que je vois de l'autre côté des grandes herbes est la chose la plus fantastique qui soit. Si jamais pareille chose vous arrive, un jour, vous allez dire comme moi: «C'est impossible!... Je rêve... !?!»

Il y a devant nous un océan...

Un océan, vous comprenez? À Sainte-Lucie-de-Bagot! Avec des vagues qui roulent sur une plage de sable blanc.

Est-ce un mirage? Mais non, je le sens vraiment ce vent chaud qui me souffle au visage. Ces couleurs éblouissantes, cette lumière intense, je les vois. Et qu'est-ce que Simon ferait là, debout, au milieu d'un mirage?

Parce qu'il est dans l'océan, Simon. Dans l'eau bleue jusqu'aux genoux. Regardant vers l'horizon plat sous les nuages blancs aux formes étranges.

Le choc est trop fort; aucun de nous ne réussit à avancer d'un pas. L'océan nous attire, mais nous n'arrivons pas à y croire.

— Je vous l'avais dit! crie Simon, qui éclate de joie. Yiiiyâouuuu! On a trouvé! C'est ici! On a réussi!

Simon frappe dans l'eau avec ses mains et ses pieds. Il saute, court, danse. Il se jette à la renverse dans les vagues. Quand il refait surface, il goûte l'eau et murmure:

— De l'eau salée! C'est encore plus beau que dans mon rêve!

Juste à l'instant où l'on se décide à courir se jeter nous aussi dans la mer, une voix d'adulte retentit dans notre dos...

— Ça vous surprend, hein les enfants? C'est de l'eau salée! Mes vaches aiment bien ça.

C'est monsieur Solis, le fermier, qui vient de parler.

Durant une seconde interminable, l'air nous manque, le temps s'arrête. J'ai l'impression d'avoir du vide sous les pieds. Chacun s'écrie «Hein?», «Qu'est-ce qui arrive?», «La mer! Où est la mer?!»

Est-ce possible? C'était un mirage après tout! Il a suffi qu'un adulte nous voie pour que tout le paysage change d'aspect, pour qu'il redevienne normal. Il n'y a plus maintenant qu'une clairière couverte de foin sauvage avec, en son centre, une pompe à main et un abreuvoir en bois. Il ne reste rien du paysage fantastique.

Je m'aperçois, horrifié, que Simon aussi est disparu avec l'océan. Je le savais! Je lui avais dit pourtant que c'était dangereux, son jeu! Mes parents disent souvent qu'à courir après un rêve on attrape du vent. Et voilà! Simon s'est évaporé.

Je me vois déjà en train d'expliquer cela à nos parents, à la police et au maire de Sainte-Lucie! Pendant ce temps, le fermier Solis s'approche de nous en tirant un jeune veau. Il nous trouve bien étranges avec nos visages défaits et les exclamations que nous faisons. C'est un drôle de bonhomme, monsieur Solis, il fait toujours semblant de s'étonner de rien.

— C'est bien ancien ces sources-là, nous dit monsieur Solis, en arrivant à l'abreuvoir. C'est tout ce qui reste d'une mer qu'il y avait ici, y'a bien longtemps.

— On le sait, on vient de la voir! Même que...

Laperle reçoit un coup de coude de Picard qui le rappelle au silence.

Alors qu'on s'y attend le moins, Simon refait surface. À bout de souffle, il jaillit du fond de l'abreuvoir. Je me précipite vers lui.

— Simon! Simon! Où étais-tu ?

— Je sais pas. Il y a eu une grosse vague. J'arrivais plus à remonter. Qu'est-ce qui est arrivé?

— Bien, il y a un adulte qui nous a vus... Puis, euh, la mer...

Je vois que monsieur Solis nous écoute. Alors je fais «Pffuuiitt!» et un geste de la main, pour dire que l'arrivée d'un adulte a effacé le pays magique.

— À quel jeu jouez-vous? interroge le fermier, qui aimerait bien comprendre un peu plus ce qui se passe.

— C'est pas un jeu! grogne Simon.

Monsieur Solis fronce les sourcils, pas du tout certain de comprendre ce que veut dire Simon. Il nous questionne encore mais de manière détournée.

— Vous êtes partis du village? Vous en avez marché un boutte. C'est loin le Troisième bois.

— Quel Troisième bois? demande Simon.

— Celui-ci. Les deux premiers sont défrichés depuis longtemps. Mais le Troisième bois, le bois des «Salines», on n'y a pas touché, il est trop plein de roches. Puis, ces vieux arbres-là ont des racines qui descendent trop creux. C'est pas «arrachable».

Les yeux de monsieur Solis ont une lueur intense. J'ai l'impression qu'en observant comment nous réagissons à son histoire il essaie d'en savoir plus sur ce «jeu» qui n'est pas un jeu. Avec la mine de nous confier un secret, il termine en disant:

— Il paraît que c'était une terre sacrée des Indiens. À cause des arbres, peut-être ... ou de la source...

Ou autre chose, me dis-je. Tout mouillé, Simon sort de l'abreuvoir. Picard lui prête son «jean jacket» pour qu'il n'ait pas froid. Le soir tombe et le temps se rafraîchit.

* * *

Monsieur Solis propose de nous reconduire au village. Nous le suivons jusqu'à la sortie du Troisième bois et montons sur la charrette à foin accrochée derrière un vieux tracteur.

Simon monte en premier. Il tend sa main à Carole pour l'aider. Picard remarque le geste d'un œil inquiet, et même jaloux. Mais Carole grimpe sur la charrette par ses propres moyens. Picard se détend et monte à son tour.

— Picard? Aide-moi. Donne-moi ta main, lui demande Hélène, en faisant un regard doux.

Picard hésite un moment. Finalement, il lui tend la main et la tire sur la charrette. Je vous ai dit que j'avais la puce à l'oreille. Maintenant, j'en suis certain. Hélène a une idée en tête et, cette fois, je crois que Picard s'en est aperçu.

Le tracteur de monsieur Solis nous éloigne du Troisième bois. Un immense océan s'est rétréci pour devenir un doute et le souvenir déjà imprécis d'un lieu impossible. Assis sur les bottes de foin rangées en escalier, je songe à cela. Je veux bien me convaincre que c'est impossible, que c'est une hallucination. Mais est-ce que cela veut dire que j'ai un cousin hallucinogène? Improbable cela aussi.

Paul rompt le silence en premier.

— C'était beau tout à l'heure, Simon. C'était vraiment comme un rêve.

— J'y retourne cette nuit, affirme spontanément Simon.

— La nuit, personne va nous voir! C'est certain qu'on va réussir cette fois-là! ajoute Carole enthousiaste.

Et c'est reparti! Moi, j'enrage. Coup sur coup, en deux journées seulement, on a failli perdre Picard puis mon cousin, et cela ne leur suffit pas! Heureusement, Laperle s'est montré raisonnable.

— J'ai pas peur de la noirceur, mais mon père veut pas que je rentre tard!

— T'as peur de ton père? lance Picard pour le taquiner.

— Voyons donc, j'ai pas peur de mon père!

— En tout cas moi, j'y vais ce soir! répète Simon, avec les manières exagérées d'un héros de film américain.

— Moi aussi!

— Puis moi aussi!

— Franchement, le soir, il fait froid. On va se rendre malade.

— Je force personne à venir!

Je leur tourne le dos et je boude sur ma botte de foin. Vraiment, ils sont fous et Simon est dangereux! Je me promets de ne plus remettre les pieds dans cette galère-là!

Pourtant, au fond de moi, je sens que ma résolution s'effrite déjà.

6

Le secret du Troisième bois

Le soir tombe sur Sainte-Lucie-de-Bagot. La pleine lune éclaire une nuit qui s'annonce troublée de mystères. Une atmosphère spéciale règne sur tout le village.

Le chat de mademoiselle Margot rôde dans le jardin de monsieur Walkers. Il grimpe sur une poubelle pour surveiller les alentours. Il dresse les oreilles et renifle l'air, cherchant en quoi cette nuit est différente des autres.

L'horloge de l'hôtel de ville grince. Ses vieux engrenages font de gros efforts pour avancer les aiguilles sur minuit. Soudain, avec un bruit de ressort brisé, la grande aiguille recule d'une bonne minute. Drôle de présage, pour une horloge qui n'a pas avancé d'une seconde depuis cent ans.

La tête de Picard émerge à travers un nuage de mousse. Les yeux perdus dans le vague de son bain chaud, il ramasse l'éponge et frotte doucement son bras rougi par les effets du poil à gratter.

Devant lui, il a collé au mur une image découpée dans une revue. C'est un paysage ressemblant à ce bord d'océan qu'il a vu au-delà du Troisième bois.

Ce souvenir est si vivant dans son esprit, que Picard a toujours l'impression d'entendre le bruit des vagues. Cela devient même de plus en plus fort. On pourrait croire que le son sort de la photo.

Soudain les vagues immobiles s'animent, déferlent puis submergent le rocher. Stupéfait, Picard échappe l'éponge et se redresse dans son bain.

Déjà, plus rien ne bouge, mais la vague s'est immobilisée sur le rocher. Picard fait des yeux de poisson, se disant que, tout à l'heure, il n'y avait pas d'écume sur la photo. Les événements des derniers jours lui donnent la fâcheuse impression que le destin lui jette de mauvais sorts.

«Chez les Indiens d'Amérique, les rêves sont interprétés comme l'âme quittant le corps pour visiter des contrées étranges...»

C'est écrit en toutes lettres dans le septième tome de mon encyclopédie. C'est bien ce que je ressens, lorsque Simon ouvre la fenêtre de ma chambre sur une nuit étoilée. Je quitte la sécurité de ma maison pour l'inconnu. C'est bien excitant. C'est angoissant aussi, parce que l'inconnu est rarement prévisible.

La première surprise de la nuit ne tarde pas à se produire. Ma chambre est au deuxième étage. Pendant la soirée, nous avons pris soin de laisser une échelle appuyée contre le rebord de la fenêtre. Nous descendons par cette échelle, sans que personne ne se doute de rien.

Arrivés devant la fenêtre de la cuisine, la lumière s'allume et mes parents entrent. Je m'arrête et les regarde faire. Il n'y a pas de danger qu'ils nous voient parce nous sommes dans le noir et qu'à l'intérieur la lumière reflétant sur les vitres en fait des miroirs.

— Qu'est-ce qu'ils font là eux autres? Ils ne dorment pas! dis-je à Simon, qui, au-dessus de moi, est obligé de s'arrêter lui aussi.

Nous croyant endormis, mes parents se livrent en secret à leur vice favori. J'en suis stupéfait. En robe de chambre, ils gambadent sur la pointe des pieds comme des cambrioleurs. Ma mère sort une boîte de carton bien dissimulée au fond du réfrigérateur. Mon père fouille dans une armoire sans faire de bruit.

Quand j'aperçois ce que ma mère sort de la boîte, je manque de tomber en bas de l'échelle.

— Les maususses! Ils avaient un deuxième gâteau pour le dessert, puis ils l'ont même pas dit. C'est vraiment pas gentil pour la visite!

Et c'est tout un gâteau! C'est un «Divines calories». Partout de la crème fouettée, de la mousse aux framboises, du fudge entre chaque rangée d'un gâteau au chocolat et, sur le dessus, des grosses fraises sucrées, enrobées de chocolat mi-amer. J'en suis malade. Simon s'impatiente. Il chuchote:

— Dépêche-toi. Descends! Carole va nous attendre!

— Carole va nous attendre? Ouais, ça t'inquiète! En avez-vous souvent des rendez-vous comme celui-là?

Je ne bouge pas. Je veux souffrir jusqu'au bout ce navrant spectacle d'égoïsme. Papa verse une eau-de-vie dans des verres à liqueur. Maman découpe de généreuses portions du gâteau et les dépose sur des assiettes. Sur la pointe des pieds, ils s'en vont ensuite au salon pour regarder la télé. Je gage qu'ils se sont loué un vidéo en plus!

Enfin! Ils sont hors de ma vue. Pressé par mon cousin, je continue mon chemin.

* * *

— Ça ne te chicote pas toi d'aller dans un rêve quand tu ne sais pas comment il finit?

— Chuuut! me fait Simon.

Nous sommes dans le couloir d'entrée du repaire secret. Il fait très noir. Avec sa lampe de poche, Simon envoie un signal.

Au fond du repaire, une lumière lui répond en clignotant deux fois. Une silhouette se détache de la pénombre... C'est Carole. Elle porte son équipement «complet» de chasse aux vers de terre, modifié, pour la circonstance, en tenue d'explorateur tropical nocturne. Les deux lampes de poche fixées sur chaque côté de son casque lui font une deuxième paire d'yeux. Cela lui donne une allure de gros insecte.

— Bravo Carole! Toi au moins, t'es pas une lâcheuse!

D'un geste spontané, Simon pose les mains sur les épaules de Carole. Carole ne réagit pas et Simon se surprend de son geste. On dit, dans ces cas-là, qu'un ange est passé. Moi, je dirais plutôt que c'est un petit diable qui est venu, parce qu'ils ont rougi tous les deux. Je m'en aperçois même s'il fait très sombre.

Schlicc! Clic! Interrompant ma pensée, deux lampes de poche s'allument dans le noir. D'autres ombres bougent dans le recoin le plus obscur. Ce sont Laperle et Picard.

— Ouais, ouais, gênez-vous pas! déclare Picard, justement pour gêner Simon.

— Entendre parler que vous ne veniez pas?

Simon n'en dit guère plus qu'Hélène et Paul débouchent à leur tour du passage.

— Allô! Tout le monde est arrivé! lance Paul à travers son grand sourire.

— Ahhh, salut Picard! J'étais pas sûre que tu viendrais! dit Hélène, en s'insérant entre Carole et Picard.

Nous voilà tous réunis. Pour une fois, Simon ne s'en plaint pas. Il est même heureux de partager sa quête avec d'autres. Ce qui ne l'empêche pas de faire à sa manière. Il nous dit d'une voix exagérément sérieuse.

— Écoutez-moi! Pour la troisième fois, on va essayer de traverser le Troisième bois. Il ne faut pas manquer notre coup! Pour en être sûrs, on va faire un pacte. Mettez-vous en rond.

Simon avance une main au centre du cercle qui se forme. Laissant son pouce tendu, Simon serre, de ses autres doigts, le pouce de celui qui est à sa droite. Chacun fait comme lui et nos mains s'enlacent comme une couronne.

— On va jurer de faire une vraie équipe, de s'aider les uns les autres.

Hélène n'a pas l'habitude de ce genre de cérémonie. Comme elle veut bien faire les choses, elle interroge en douce Picard.

— Est-ce qu'on est obligé de cracher en jurant?

— C'est pas nécessaire, murmure Picard, content de la rassurer.

— Puis surtout, continue Simon, il faut jurer de ne jamais rien dire à personne. Il faut que cela reste un secret pour toute la vie.

— Pour toute la vie?! répété-je avec inquiétude, avant de me plier à sa volonté... Bon, c'est correct Simon... mais il ne faudra pas rentrer trop tard, hein?

Nous jurons tous. Cette promesse solennelle cimente nos amitiés. Maintenant, c'est tous pour un et un pour tous.

La troisième expédition peut commencer.

Les rayons de nos lampes de poche éclairent les vieux arbres du Troisième bois. La nuit leur donne vraiment des allures de cauchemars. Nous marchons depuis des heures. Nous sommes tous fatigués et découragés.

Malgré l'obscurité, ce fut très facile d'arriver jusqu'au Troisième bois, mais impossible de retrouver les «Salines». La source d'eau salée a sûrement un lien avec l'océan de cet après-midi, pense Simon.

Picard maugrée.

— Ouais, pour moi, il ne se passera rien ce soir.

— On a rêvé cet après-midi. Cela ne se pouvait pas! On a halluciné! C'était la chaleur. Toi aussi, tu avais chaud, hein? demande Hélène en se collant à Picard.

Il y a des nappes de brume et nos vêtements absorbent une bonne dose d'humidité. Déjà que la fraîcheur de la nuit me faisait grelotter, je commence à être vraiment malheureux.

— Simon? On tourne en rond! On ferait mieux de rentrer avant de se perdre.

— On approche, je le sens...

Simon ne m'écoute pas. Il s'entête. Derrière nous, Picard remarque la boîte de poil à gratter sortie aux trois quarts du jean de Laperle.

— Laperle. La boîte... Elle va tomber.

Laperle enfonce la boîte dans son jean.

— Tu devrais mettre un élastique autour, Laperle. T'aurais l'air fin avec tout ce poil à gratter sur les fesses!

— Aie pas peur! Elle s'ouvrira pas.

Toujours plus loin à l'intérieur du Troisième bois, l'expédition continue son chemin. On croise maintenant quelques arbres franchement bizarres. Je n'en ai jamais vu de pareils. Leur tronc est d'un diamètre formidable et ils ont des racines aériennes démesurées qui s'allongent comme des pattes d'araignées.

— On n'est jamais passé par ici avant. Pour moi, on s'est perdu...

Je ne termine pas ma phrase: un cri étrange me glace le sang. C'est un long cri d'animal. Un rugissement puissant, comme une sirène de navire. Tout aussi effrayant, après ce cri, un martèlement sourd résonne dans la nuit, battant sur une cadence régulière et lente.

À chaque coup, le sol tremble sous mes pieds. Tout en conservant le même rythme, le martèlement diminue d'intensité, jusqu'à devenir inaudible.

— C'est quoi ça? dis-je, en espérant ne jamais le savoir.

— Peut-être un tracteur, souffle Laperle, avide d'expliquer ces sons angoissants.

— Épais! As-tu déjà vu un tracteur avec des roues carrées? réplique Picard, la voix tremblante.

— C'est drôle comme les bruits ne sont plus pareils, la nuit, ajoute Carole.

— Moi, des bruits, ça m'fait pas peur... dit Laperle par habitude et sans conviction.

Le silence revient. Nous reprenons notre route, collés les uns aux autres. Je commence à en avoir assez et il est grand temps de raisonner Simon. Jamais deux sans trois, me dis-je. À n'en pas douter une nouvelle catastrophe guette notre expédition nocturne.

— Il est tard, Simon. Il faut penser à rentrer. Cela ne marche pas la nuit, ton affaire. Hein, Simon? On va rentrer bientôt? Tu sais, Simon, si ton rêve ne finissait pas bien!? On va être mal pris pour vrai!

Entendre le son de ma propre voix me calme. J'ai l'impression qu'il n'y a rien d'autre qui me rattache à la réalité. Nous traversons une clairière tapissée de fougères. On y taille un sillage en marchant. La surface des fougères ressemble à des vagues immobiles et dissimule complètement le sol.

Arrivée à mi-chemin, Carole met le pied sur quelque chose de raide et mouvant... une sorte de queue d'animal. Dérangée dans son sommeil, une bête bizarre dresse une étrange tête, juste sous son nez. Surpris, l'animal crie de peur, prend panique et s'enfuit en trottinant sur de nombreuses pattes. Presque en même temps, nous hurlons tous et fuyons dans la direction opposée, effrayés par nos propres cris plus qu'autre chose.

Nous nous arrêtons quelques minutes plus tard, cachés sous les racines d'un gros arbre.

— As-tu vu quelque chose, toi? demande Laperle.

— Non. Ça courait trop vite! répond Picard.

— J'ai mis le pied sur quelque chose... Puis, ça m'a regardé dans les yeux!

Carole ajoute que la bête ressemblait à un kangourou sans poil et avec des plumes sur la tête. Du jamais vu dans la région de Sainte-Lucie-de-Bagot, je vous le jure! Sans réfléchir, je décide sur-le-champ d'arrêter l'aventure.

— En tout cas, moi, j'en ai assez! Je rentre à la maison.

— Pars pas! On est presque arrivé!

Je refuse d'écouter Simon, je tourne les talons d'un pas militaire et farouchement résolu... À peine trois enjambées plus loin, un grondement titanesque secoue la forêt et me dresse les cheveux sur la tête.

Il n'y a pas à se tromper, un pareil hurlement ne peut venir que d'un autre monde. Le cri s'éteint et le martèlement de tout à l'heure reprend. Il s'accélère et s'amplifie, cette fois. Je retourne vivement me coller aux autres. Personne ne bouge, je crois que nous ne respirons plus. Il n'y a que nos oreilles qui s'activent comme des radars.

— Ça vient de là! dit Paul, timidement, en pointant devant lui.

Mais il y a pire, pensé-je. Il semble bien que cela s'en vient par ici! Ces étranges sons, nous les avons tous identifiés maintenant. Ce sont les bruits de pas titanesques. Quelque chose d'énorme marche vers nous. Et vite en plus.

Il n'y a pas à hésiter, nous détalons à toutes jambes. Nous courons plus vite que jamais nous ne l'avons fait. Les bruits deviennent plus pressants. Cela fait le vacarme d'un char d'assaut, fonçant en pleine vitesse entre les arbres.

Au détour d'un amas de gros rochers, nous débouchons tout à coup sur une falaise battue par de puissantes vagues. Ce n'est pas aisé de s'arrêter en pleine course. Nous nous bousculons et, ce n'est pas de ma faute, je manque de pousser mon cousin dans le vide. Heureusement, dix bras le rattrapent juste à temps...

En bas, les vagues se cassent sur les rochers. Il y a de quoi vous transformer rapidement en pâté pour les crabes. Cette direction est sans issue. Il ne reste plus qu'à attendre qu'apparaisse la «chose» qui marche dans la forêt!

Carole ne se laisse pas abattre, elle repère un crevasse surplombée d'un gros rocher. Rapidement, elle se glisse sous les pierres et nous appelle. Un à un, nous la rejoignons dans cette cachette. Simon retarde, il aimerait bien voir «l'animal» qui nous poursuit. J'hésite aussi, je me rappelle que les idées de Carole Bonin ne sont pas toujours bonnes, et cela ne me sourit pas de ramper dans un trou noir.

Un grondement effroyablement proche me fait tourner la tête. Là, entre les arbres, une tête fantastique montre son museau. Je n'en crois pas mes yeux: c'est un dinosaure... Un gros. Un fait s'impose, avec toutes les dents qu'il a dans la gueule, à coup sûr, ce dinosaure-là ne se nourrit pas de pissenlits!

L'immense bête reluque dans ma direction et retrousse les narines pour identifier ma piste. En moins de deux secondes, je me découvre l'agilité d'une anguille et je descends tête première au fond de la crevasse. Simon ne m'a pas attendu, il est déjà là et m'aide à me remettre à l'endroit.

Par les espaces entre les rochers, je vois venir le dinosaure à grandes enjambées.

Nous nous faisons tout petits pendant qu'il tourne autour de notre cachette. Il retrousse constamment les narines. L'odeur des humains lui est certainement inhabituelle. J'espère très fort qu'il va trouver que nous sentons mauvais.

Si vous n'en avez jamais vu, laissez-moi vous dire qu'un dinosaure ne ressemble pas du tout à ce qu'on s'imagine. Ce n'est pas un gros lézard qui se traîne le ventre par terre en marchant. Si c'est long comme un autobus, c'est aussi vif comme une gazelle.

Sans se presser, le nôtre fait cinq mètres à chaque pas. Sa queue, qui ne touche jamais le sol, ses bras et sa tête s'agitent sans arrêt. Il émet toutes sortes de sons qui résonnent sourdement, comme venus du fond d'une caverne. Ses mains ont quatre doigts très agiles, terminés par des griffes effilées comme des poignards. Une longue corne recourbée fait angle droit avec son cou, lui donnant une allure encore plus impressionnante.

Le dinosaure rôde autour de nous. Il cherche, sans avoir compris que nous sommes sous les rochers.

— Éteignez vos lampes! murmure Carole.

— Faites pas de bruit, ça pourrait l'énerver! conseille Simon.

— Ah oui, parce qu'il n'est pas assez énervé à ton g...

Picard ravale la fin de sa phrase quand un museau énorme se profile devant la crevasse et nous renifle. Nous reculons le plus loin possible. Picard plonge dans nos bras.

— ...Môman! fait-il, la voix éteinte.

— Chut! Silence! Il nous regarde! dit Simon, la gorge serrée.

Un œil orange et myope explore les replis entre les rochers. Nous nous faisons roches. Le dinosaure ne se presse pas. Patiemment, il guette le moindre mouvement sous les rochers.

À bien y penser, c'est un sale tour que Simon nous a joué. Je lui chuchote:

— Pourquoi tu ne l'as pas dit qu'il y avait un monstre dans ton rêve?!?

— Ce n'est pas un monstre, c'est un Mégacuriosaure.

— Qu'est-ce ça peut faire? Il va nous manger quand même.

— Penses-y, Pierre-Alexandre. On est les seuls sur toute la terre à jamais avoir vu un vrai Mégacuriosaure!

Il dépasse complètement les bornes, mon cousin. Il peut s'intéresser aux animaux disparus si cela lui plaît, mais cela ne se fait tout simplement pas d'amener des gens dans un endroit dangereux sans même les avertir! S'il n'était pas mon cousin, je pense bien que je ne lui parlerais jamais plus!

Finalement, le Mégacuriosaure retire son œil de la crevasse. Je l'entends s'éloigner. Par chance, est-ce qu'il se désintéresse de nous? Tout ce qui se déroule par la suite arrive très vite. Je crois qu'à ce moment trop d'émotions nous ont rendus un peu fous. D'abord, Paul risque un coup d'œil entre les rochers.

— Aye, on dirait qu'il est parti.

— Paul! Fais attention, crie Hélène, en attrapant son frère.

Elle confirme ensuite ce que son frère dit. C'est vrai qu'on ne voit plus le dinosaure! On ne l'entend pas marcher non plus. Carole attrape en vitesse son polaroïd et sort de la crevasse. Elle fait trop vite pour qu'on la retienne. Ensuite, personne n'ose aller la chercher non plus.

Carole s'est mise en tête de prendre une photo du Mégacuriosaure. Elle est devenue chasseuse d'images. C'est aussi bien, ni Simon ni ses parents n'accepteront qu'elle loge un dinosaure, même petit, dans son sous-sol.

— Maudine! Je l'ai manqué, il est parti.

La forêt est tranquille et silencieuse. Plus aucun signe du Mégacuriosaure, à la grande déception de Carole. À cet instant précis, de petites mottes de terre déboulent dans son dos, faisant un bruit hypocrite.

Tout doucement, Carole amorce le mouvement de se retourner. Très lentement elle lève les yeux. Pourtant, il n'y a que les rochers derrière elle. En écoutant bien, il lui semble entendre un souffle étrange. Ce son, est-ce le bruit des vagues? Puis, au sommet de ce grand rocher, est-ce le vent qui agite les fougères?

Je vous le dis tout de suite: eh bien non! C'est le Mégacuriosaure qui se tient à l'affût. Parce que ce Mégacuriosaure est comme un gros chat qui joue avec une souris. Surprendre sa victime lui donne encore plus de plaisir que l'attraper.

Soudain, il se dresse en donnant une ampleur théâtrale à ses gestes. Quand on fait sept mètres de haut, qu'on a un mètre de gueule et des dents longues comme la main, l'effet de surprise est garanti à tous coups! Même terrorisée et criant à tue-tête, Carole a la présence d'esprit de déclencher son flash.

Ébloui, le Mégacuriosaure grogne et secoue la tête, croyant ainsi se défaire des effets de l'éclair électronique. Nous en profitons pour aider Carole à revenir s'abriter sous les rochers.

Le Mégacuriosaure arrive la seconde suivante devant l'entrée de notre cachette. Il se met en colère. Sa gueule gargantuesque claque sur l'ouverture de la crevasse. Il passe sa rage en essayant de croquer le rocher.

Des éclats de pierre et des lambeaux de mousse rebondissent sur les parois de la crevasse, nous couvrant d'une poussière étouffante. Nous nous blottissons les uns contre les autres, pensant que la fin du monde est arrivée. Mais le rocher est trop gros, le dinosaure ne réussit qu'à s'abîmer la mâchoire. Il se casse une dent qui tombe par terre.

Empilés au fond du plus petit recoin de la crevasse, les lamentations du Mégacuriosaure nous surprennent. Est-ce une nouvelle ruse? Pendant qu'on se remet sur pied, la boîte de poil à gratter tombe de la poche de Laperle en plein sur la tête de Picard. Celui-ci ramasse la boîte en s'écriant:

— Maudit Laperle! Viens pas en plus nous renverser ton poil à gratter.

Picard lance le poil à gratter à l'extérieur de la crevasse. Il a bien raison, les choses vont tellement mal qu'il ne faut plus rien risquer d'autre.

Voyant rebondir sur l'herbe la boîte de poil à gratter, le Mégacuriosaure cesse de se lamenter. Il se penche immédiatement pour renifler la petite boîte de métal. À la première inspiration rien ne se produit, mais, à la deuxième, la boîte s'ouvre et son contenu est entièrement aspiré par les narines de la bête.

Le Mégacuriosaure renvoie par en arrière une tête étonnée. Il a une réaction bizarre. On dirait que ses voies respiratoires sont bloquées parce qu'il essaie plusieurs fois d'aspirer de l'air sans y arriver.

Tout d'un coup, cela débloque! La bête y va d'un puissant éternuement qui nous rejette au fond de la crevasse. Ensuite, il se gratte la tête de ses pattes, puis se frotte la gueule. Il éternue encore et encore.

Dépité, irrité, convaincu que les humains sont dangereux et incomestibles, le Mégacuriosaure abandonne. Il se retire dans la forêt, d'une démarche vacillante, et disparaît entre les troncs géants. De temps à autre, de puissants éternuements secouent le feuillage.

Nous célébrons notre victoire par des cris de joie qui s'épuisent bien vite, alors qu'on commence à se gratter les mains, le cou et le visage.

— Bien là, je pense qu'il est parti pour de bon! fait Carole, en surveillant la forêt.

— C'est bien beau, dis-je, en pensant que tout n'est pas fini; mais comment on va faire pour retourner à la maison, maintenant?

— Pour sortir d'un mauvais rêve, on a seulement à se réveiller!? suggère Paul.

— J'peux pas me réveiller, je dors pas! ironise Laperle, redevenu un peu fanfaron, à cause de l'efficacité de son poil à gratter.

— Paul a raison. Le mieux à faire, c'est de dormir ici. On verra bien demain.

Mon cousin dit cela d'une voix résignée, comme s'il regrettait d'avoir à quitter son pays magique. Simon nous laisse et sort de la crevasse.

Laperle le regarde faire. Les principes du rêve éveillé lui échappent.

— C'est compliqué, ce jeu-là! admet-il découragé.

— C'est pas un jeu! lui crions-nous tous.

— Mais c'est un rêve? demande Laperle.

Personne n'essaie de lui expliquer l'inexplicable. Dehors, Simon admire les étoiles scintillant dans la nuit et les reflets de la pleine lune sur la mer. Des cris de bêtes étranges parcourent la forêt. Ce sont les fantômes de la nuit des temps.

Soudain, un éternuement phénoménal éclate. L'écho le répète, de plus en plus loin, puis les bruits de la forêt, qui s'étaient tus, reprennent peu à peu.

Je m'inquiète. Simon tarde à rentrer. Après tout, le Mégacuriosaure n'est certainement pas le seul monstre qui hante les rêves de mon cousin. Je me pointe la tête hors de la crevasse et l'appelle:

— Viens te coucher, Simon. Tu l'as vue, ta forêt. Maintenant, il faut dormir.

Simon hésite. Il a l'intuition qu'il ne pourra jamais plus revoir son pays. Il regrette d'avoir si peu de temps, d'avoir vu si peu des merveilles qui habitent les temps passés.

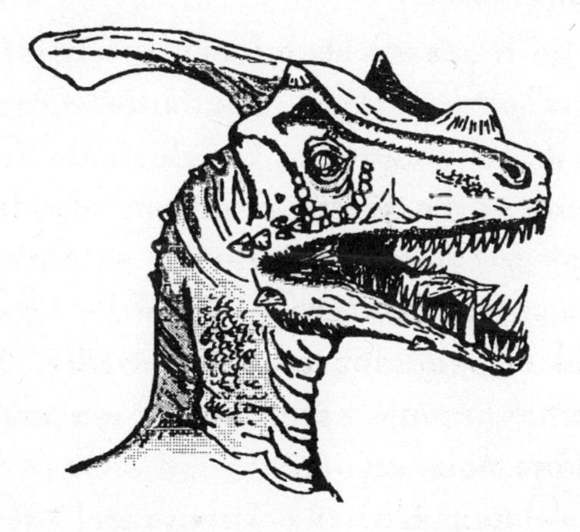

Pour la première fois, Simon regrette d'être un enfant. S'il n'y a que les enfants qui peuvent visiter les rêves, Simon se dit qu'il vaut mieux avoir l'âge adulte pour découvrir les mystères et affronter les dangers qu'on y trouve.

Les premiers rayons du soleil pointent à l'horizon. Un contre-jour doré lance des traits de lumière entre les arbres du Troisième bois. Sur une butte rocheuse, arrondie par l'érosion, monsieur Walkers et mademoiselle Margot observent quelque temps, à l'aide de jumelles, un oiseau perché sur une branche. Puis, ils continuent leur chemin à la recherche d'autres oiseaux rares.

En tournant les talons, ils font dévaler une pierre au bas de la butte. C'est là que je suis, endormi en chien de fusil. Simon et les autres sont un peu plus loin. La pierre déboule toujours, et finit sa course dans le dos de Carole. Elle se réveille. Soudain, la peur l'assaille. Elle sursaute, recule vivement et son cri de panique nous secoue.

— Aââââàh! Le Dinosaure! Il revient!

Ne sachant d'où il vient, nous regardons de tous côtés en lançant des cris d'alerte. Paul se rend compte qu'une chose terrible s'est produite durant la nuit:

— La crevasse! La crevasse est plus là! crie-t-il, en découvrant que les rochers se sont évanouis.

— Chut! Fermez-la une seconde.

Nous nous taisons dès que Simon l'ordonne... Je m'attends à entendre la démarche du monstre, mais il n'y a rien, sinon le chant tranquille des oiseaux.

— Les oiseaux! Entendez-vous? Des oiseaux!...

C'est bien le moment d'écouter les oiseaux, quand nous risquons de servir de déjeuner à un dinosaure!

Finalement, je comprends ce que veut dire Simon. C'est vrai! Des oiseaux! Des oiseaux, comme à Sainte-Lucie-de-Bagot! Et puis là: l'abreuvoir et la pompe! Nous sommes revenus aux «Salines du Troisième bois». Quel soulagement!

Une nouvelle fois nous avons été chanceux, le rêve de Simon se termine sans dommages irréparables. Je me mets à parler. C'est nerveux, chez moi, je pense.

— Ah, mon doux seigneur! C'est fini! En tout cas, Simon, avec ton idée de se promener dans le bois en pleine nuit, je te l'avais dit qu'on se perdrait. Tu m'as fait faire tout un cauchemar. Je ne l'oublierai pas de sitôt. Un vrai cauchemar de film d'horreur. Y avait un dinosaure qui...

— Un Még... euh... un mégosaure, assure Picard, qui m'interrompt en faisant son savant.

— Oui, puis... Puis... Si on ne s'était pas caché... On se serait fait manger... Oh, mon doux, c'était vrai!

Carole a retrouvé sa photo polaroïd et me la place sous les yeux. Le cliché est barbouillé de terre, mais l'image reste indéniable. À son tour, Laperle me montre la dent cassée du Mégacuriosaure.

J'en perds la parole. Je ne peux plus me conter d'histoires. Nous avons ramené deux preuves irréfutables de notre expédition au pays des animaux disparus.

Nous plaçons ces objets sur une roche. Puis, assis en cercle, nous les admirons longuement sans dire un mot. À vrai dire, une photo et une vraie dent de dinosaure, c'est impensable comme c'est émouvant.

Le premier, Simon rompt le silence. Mon cousin nous annonce, en prenant sa mine d'illuminé entêté, qu'il a fait un nouveau rêve la nuit dernière.

Une série de «Ah!?» et de «Ôôoh!» accueillent la nouvelle. Simon poursuit:

— J'ai rêvé à la fenêtre condamnée. Celle du repaire secret.

«Ah oui!?» «Hooonn!» «Super!» faisons-nous tous, en resserrant davantage le cercle autour de lui. Laperle suggère que la fenêtre donne sur la chambre secrète de monsieur Walkers. Picard ajoute qu'il y cache son argent. Paul parle d'un trésor.

— Non, non. Walkers ne le sait même pas qu'elle existe cette fenêtre-là, corrige Simon en promenant un regard à la ronde... Parce que ce n'est pas une fenêtre. C'est un passage qui va dans un autre pays, dans un autre temps. Dans mon rêve, j'ai vu un grand océan salé avec des vagues turquoise qui frappent des rochers plantés droit comme des colonnes. Il y a beaucoup d'îles, avec de grands arbres. Des arbres plus grands que les plus grands qu'on a jamais vus... Il fait chaud dans cette forêt. C'est toujours ensoleillé. Puis, caché derrière une île, savez-vous ce qu'il y a?

Simon fait une pause savamment calculée pour accroître notre intérêt. Suspendus à ses lèvres, nous attendons qu'il nous dévoile le secret de ce nouveau rêve.

— Il y a un grand voilier, un bateau de pirates, je pense... dit finalement mon cousin.

— Ah non! Simon, pas des pirates! m'écrié-je, retrouvant mon bon sens juste à temps.

— Bien quoi des pirates! C'est encore mieux que des dinosaures! s'enthousiasme Picard, sans plus réfléchir que d'habitude.

— Bien, c'est peut-être pas des pirates... je ne suis pas certain, conclut Simon, avant de faire un grand silence.

Son esprit s'évade. Je vois bien que déjà il ne pense plus qu'à son nouveau rêve. Je vois bien aussi, à leurs yeux dans le vague, que les autres s'imaginent eux aussi un océan lumineux parsemé d'îles rondes et boisées... Et surtout, un sombre trois mâts mouillant près du rivage.

J'ai eu beau protester, en vérité, la perspective d'une nouvelle aventure m'excite diablement. Tiens, dès que j'aurai fini d'inventer un mensonge qui expliquera à mes parents pourquoi je ne suis pas rentré de la nuit, je vais aller à la bibliothèque municipale et tout lire sur la piraterie. On ne sait jamais, avec un cousin comme Simon, cela peut toujours servir.

Fin

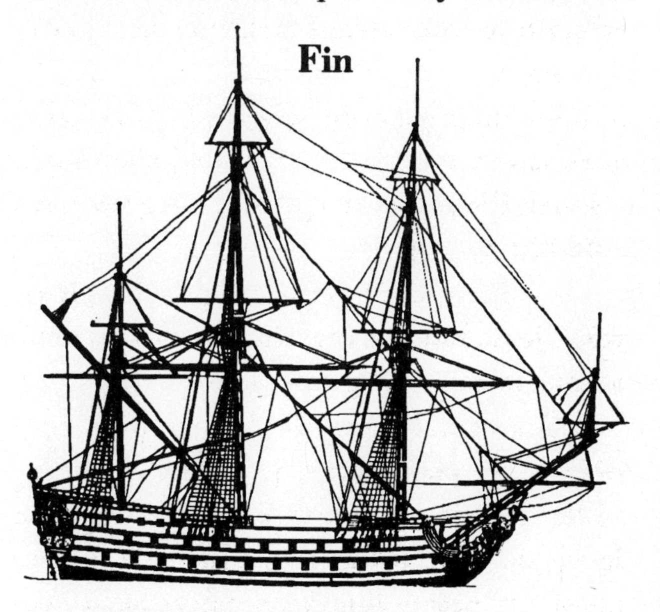

Plan des environs du repaire secret

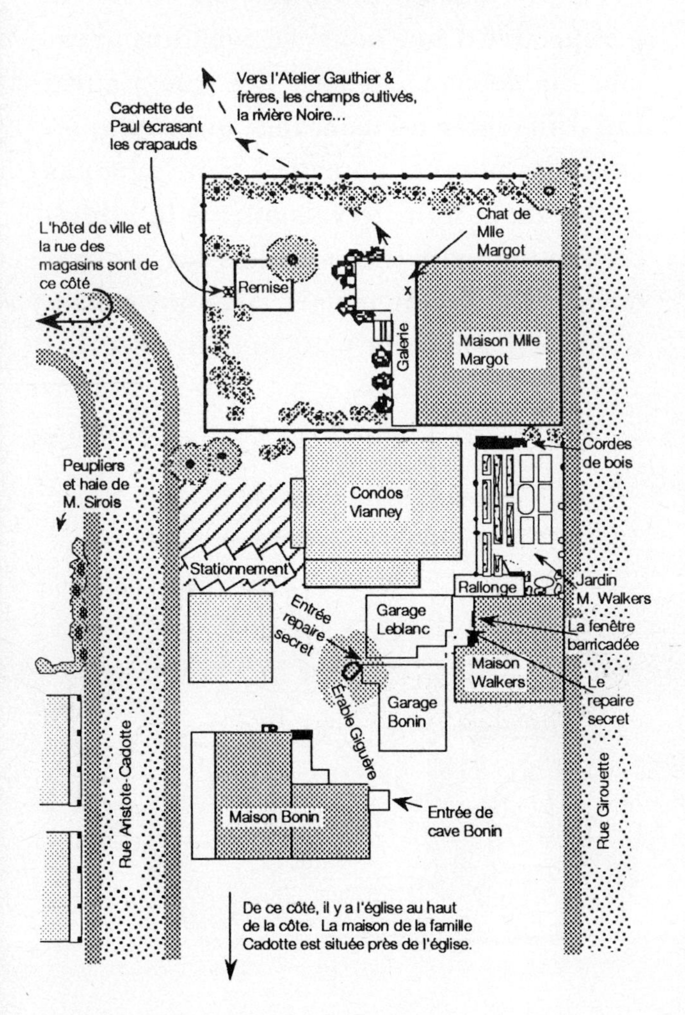

Table

DANS LA COLLECTION BORÉAL JUNIOR

1. *Corneilles* de François Gravel
2. *Robots et Robots inc.* de Philippe Chauveau
3. *La dompteuse de perruche* de Lucie Papineau
4. *Simon-les-nuages* de Roger Cantin

DANS LA COLLECTION BORÉAL INTER

1. *Le raisin devient banane* de Raymond Plante
2. *La chimie entre nous* de Roger Poupart
3. *Viens-t'en, Jeff!* de Jacques Greene
4. *Trafic* de Gérald Gagnon

Infographie: Édition • Typographie • Conseils

Achevé d'imprimer en mars 1991

Achevé d'imprimer au Canada
Imprimerie Gagné Ltée Louiseville